O PODER DOS PAIS QUE ORAM

STORMIE OMARTIAN

O PODER DOS PAIS QUE ORAM

Traduzido por MAGALI FRAGA MOREIRA

Copyright © 1995 por Stormie Omartian

Publicado originalmente pela Harvest House Publishers, Oregon, USA.

Os textos das referências bíblicas foram extraídos da versão *Revista e Atualizada* (RA), da Sociedade Bíblica do Brasil, salvo indicação específica.

Todos os direitos reservados e protegidos pela Lei 9.610, de 19/2/1998.

É expressamente proibida a reprodução total ou parcial deste livro, por quaisquer meios (eletrônicos, mecânicos, fotográficos, gravação e outros), sem prévia autorização, por escrito, da editora.

Dados Internacionais de Catalogação na Publicação (CIP)
(Câmara Brasileira do Livro, SP, Brasil)

Omartian, Stormie.

O poder dos pais que oram / Stormie Omartian – tradução de Magaly Fraga Moreira. – São Paulo: Mundo Cristão, 2001.

Título original: The Power of a Praying Parent.
ISBN 85-7325-204-9

1. Devoções diárias 2. Oração – Cristianismo 3. Pais – Livros de oração e devoção
I. Título

01-3129   CDD-248.32085

Índices para catálogo sistemático:
1. Casais: Amor conjugal: Guias de vida cristã 248.844
2. Marido e mulher: Amor conjugal: Guias de vida cristã 248.844

Categoria: Oração

Revisado segundo o Novo Acordo Ortográfico.

Publicado no Brasil com todos os direitos reservados por:
Editora Mundo Cristão
Rua Antônio Carlos Tacconi, 69, São Paulo, SP, Brasil — CEP 04810-020
Telefone: (11) 2127-4147
www.mundocristao.com.br

1ª edição: julho de 2001
37ª reimpressão: 2025

Sumário

Agradecimentos	7
Prefácio	9
1. Tornando-se pais de oração	13
2. Entregando meu filho nas mãos de Deus	29
3. Assegurando proteção contra o mal	34
4. Sentindo-se amado e aceito	39
5. Fundamentando o futuro eterno	45
6. Honrando os pais e resistindo ao espírito rebelde	50
7. Mantendo bom relacionamento familiar	55
8. Atraindo amigos piedosos e bons exemplos	60
9. Desenvolvendo interesse pelas coisas de Deus	65
10. Sendo a pessoa que Deus criou	69
11. Seguindo a verdade, rejeitando a mentira	74
12. Desfrutando uma vida saudável e o poder da cura	79
13. Tendo motivação para cuidar adequadamente do corpo	83
14. Incutindo a vontade de aprender	87
15. Identificando os dons e talentos dados por Deus	91
16. Aprendendo a expressar palavras de vida	96
17. Permanecendo interessado na vida de pureza e santidade	100
18. Orando no quarto do filho	105

6 O PODER DOS PAIS QUE ORAM

19. Desfrutando da libertação do medo — 109
20. Adquirindo a mente equilibrada — 113
21. Pedindo a alegria do Senhor — 117
22. Eliminando padrões comportamentais negativos adquiridos no ambiente familiar — 121
23. Evitando álcool, drogas e outros vícios — 128
24. Rejeitando a imoralidade sexual — 131
25. Encontrando o par perfeito — 135
26. Vivendo livre da falta de perdão — 140
27. Andando em contrição — 145
28. Destruindo fortalezas malignas — 149
29. Buscando sabedoria e discernimento — 154
30. Crescendo na fé — 158

Apêndice: Orando com outros pais — 165

Agradecimentos

Agradeço especialmente

A minha filha Amanda e ao meu filho Christopher, por encherem minha vida de alegria e me darem tantos motivos para orar.

A meu marido Michael, por sua disposição em passar incontáveis horas ao meu lado nos últimos vinte anos, cercando nossos filhos com oração.

A minha secretária Susan Martinez, amiga e irmã, por ser uma auxiliadora valiosa e talentosa, sempre pronta a encorajar e confortar.

A meu amigo e pai, companheiro de oração David Hazard, por me incentivar a escrever este livro.

A minha brilhante editora-chefe e querida irmã no Senhor Eileen Mason, por sua visão quanto a este livro, seu interesse por pais preocupados de todos os lugares e por compartilhar com liberalidade a riqueza de sua alma meiga e piedosa.

As minhas talentosas editoras Betty Fletcher e Judith Markham, por sua inestimável contribuição.

A minha família da Harvest House, Bob Hawkins, pai, Bob Hawkins Jr., Bill Jensen, Julie McKinney e LaRae Weikert, por utilizarem fielmente seus talentos para a glória de Deus, e por sua dedicação em ajudar a mim e a outros escritores a levar esperança e auxílio aos necessitados.

A meus companheiros de oração, Susan Martinez, Roz Thompson e Jan Williamson, pelas muitas horas de oração que investiram neste projeto, em meus filhos e em minha vida.

8   O PODER DOS PAIS QUE ORAM

As minhas distantes parceiras de oração Debra Goldstone, Pamela Hart e Lisa Welchel Cauble, por não se esquecerem de mim quando me mudei para o Tennessee e por considerarem este projeto tão valioso a ponto de assumirem o compromisso de orar por ele.

A meu pai espiritual e pastor há 23 anos Jack Hayford, por me ensinar a orar.

Ao pastor Dale e a Joan Evrist, por não me deixarem esquecer que o meu tesouro só pode ser encontrado na presença de Deus.

A meu filho adotivo na fé John Kendrick , por me deixar ser sua mãe aqui na terra desde que sua verdadeira mãe foi para o céu.

A minha empregada Thelma Peña Lopez, pelos dezessete anos de fidelidade no trabalho, e por me mostrar que para um coração de mãe não existe barreira de idioma.

Prefácio

Minha mãe tem sido uma mãe maravilhosa. Tem me encorajado e procurado me ajudar em tudo.

Sou muito grata por suas orações e por seu amor. Ela ora por mim diariamente, e creio que essa é uma das razões pelas quais tenho me dado tão bem na escola e na vida. As orações dela têm feito muita diferença para mim, e por causa delas ainda estou viva.

Certa vez as orações de minha mãe resultaram em uma grande e maravilhosa mudança em minha vida, o que eu nunca imaginei que pudesse acontecer. Eu tinha uma colega de escola muito maldosa e evitava me aproximar dela porque ela me assustava. Quando contei para minha mãe, ela resolveu que iríamos orar juntas pela garota. Achei a ideia boa e passamos a orar quase todos os dias. Fizemos isso até o fim do semestre e durante as férias de verão.

No semestre seguinte houve um milagre, e a garota mudou completamente, tornando-se uma de minhas melhores amigas. Esse fato influenciou a minha vida e foi um dos episódios mais importantes que já me aconteceu.

As orações de minha mãe funcionam. Não funcionam sempre, mas mesmo quando nossas orações não são respondidas de imediato, o fato de orar ou ser alvo de oração faz com que eu me sinta melhor. Sou grata a Deus e a minha mãe. Obrigada, mamãe.

Amanda Omartian (treze anos)

Reconheço que tenho sido verdadeiramente abençoado pela vida de meus pais. São pessoas amorosas, carinhosas, muito compreensivas e, de vez em quando, engraçadas. Dentre todas as qualidades que meus pais possuem, a que eu mais respeito é a persistência deles em orar por mim e por minha irmã todos os dias de nossa vida. Se eu fosse contar o quanto as orações deles significaram e têm sido importantes para mim, eu acabaria escrevendo mais que minha mãe.

Como vocês não compraram este livro para ler o que eu escrevi, vou mencionar o fato mais notável que já me aconteceu e que comprova que ter pais de oração realmente faz diferença.

Ao longo dos meus dezoito anos meus pais vêm orando incansavelmente por minha segurança. Enquanto eu crescia na "tranquila" cidade de Los Angeles, as orações deles eram um escudo contra o perigo. Lembro-me com clareza de um dia, quando cursava o primeiro ano do segundo grau, em que Deus me protegeu durante um grave acidente de carro. Dois rapazes e eu íamos para a escola, pela manhã. Não estávamos usando cinto de segurança quando batemos, quase de frente, em outro veículo que virou à esquerda no cruzamento. Um de meus amigos feriu-se gravemente ao ser atirado contra o para-brisa, e o outro rapaz bateu o rosto no volante. Eu me encontrava no banco de trás e tive um pequeno ferimento nas costas.

Numa situação em que todos poderiam ter morrido, Deus protegeu nosso carro e poupou a nós três. Foi nessa altura da minha vida que me dei conta da importância da oração e adquiri uma perspectiva mais clara do poder espantoso de Deus no meio de situações sinistras.

Serei eternamente grato a meus pais por sua persistência em orar por mim, pois isso realmente fez diferença, não apenas me poupando do perigo, mas também, me guardando no caminho certo como uma pessoa digna e de princípios morais.

PREFÁCIO 11

Acho que, agora que já estou com dezoito anos, as orações de meus pais vão mudar um pouco. Desconfio que talvez comecem a orar para que eu me case logo e, assim, eles poderão ter a casa só para eles.

Christopher Omartian (dezoito anos).

Derrama, como água, o coração perante o Senhor; levanta a ele as tuas mãos, pela vida de teus filhinhos.

Lamentações 2:19

CAPÍTULO 1

Tornando-se pais de oração

É a melhor das tarefas. É a mais difícil das tarefas. Pode lhes proporcionar a maior alegria. Pode lhes dar a maior tristeza. Não há mais nada mais gratificante e divertido. Não há nada mais exaustivo e estafante. Nenhuma área de sua vida tem tanto poder de fazer com que você se sinta um vencedor quando tudo vai bem. E nenhuma área de sua vida pode fazer com que se sinta um fracassado quando as coisas dão errado.

Pais!

A palavra em si é capaz de trazer à tona emoções contraditórias. Pais e mães tentam fazer o melhor possível para criar seus filhos. Mas, quando pensam que têm seu papel de pais bem esboçado, descobrem que pisam em terreno desconhecido à medida que deparam com novas faixas etárias e novas etapas com seus desafios próprios. Às vezes flutuam pela situação na maior tranquilidade. Às vezes encontram tempestades e ondas gigantescas. Algumas vezes sentem-se tão cansados que têm vontade de desistir — e se deixar levar pelo temporal.

Mas eu tenho boas novas para vocês. Nós não precisamos viver agitados e arremessados pelos ventos de mudança. A vida de nossos filhos não tem de ser deixada ao acaso.

Não precisamos andar de um lado para o outro, roendo as unhas ou mordendo os nós dos dedos, apreensivos com a terrível faixa etária dos dois anos, ou com o torturante período de adolescência. Não precisamos viver com medo do que pode trazer cada nova fase de desenvolvimento, que perigos podem estar à espreita atrás de cada esquina. Nem temos de ser pais perfeitos. Podemos começar agora — neste exato instante — a exercer uma diferença positiva no futuro de nosso filho. Nunca é cedo ou tarde demais.

Não importa se o filho tem três dias de vida e é perfeito, ou tem trinta anos e já caminha para o terceiro divórcio provocado por problemas de alcoolismo. Em cada estágio de suas vidas nossos filhos precisam e serão grandemente beneficiados por nossas orações. O importante é não tentar fazer tudo por nós mesmos e de uma vez só, mas nos voltarmos para a maior autoridade de todos os tempos quanto ao papel de pai — Deus, nosso Pai — em busca de ajuda.

Depois, dando um passo de cada vez, temos de apresentar cada detalhe da vida de nosso filho em oração. Há um grande *poder* nessa atitude, muito maior do que a maioria das pessoas imagina. Jamais subestime o poder de um pai que ora.

Eu não tive um bom exemplo do papel dos pais porque fui criada por uma mãe mentalmente doente e muito violenta. Escrevi sobre essa violência e minha recuperação miraculosa no livro *Stormie* (Harvest House Publishers). Contei também como após o nascimento de nosso primeiro filho, Christopher, constatei que possuía o potencial de ser uma mãe violenta. Descobri que sem Deus somos destinados a repetir os erros do nosso passado e imitar o que observamos. Uma cena da infância pode surgir na tela da mente e tornar-se realidade no palco de nossa existência num momento de fraqueza — antes que a gente se dê conta do que está acontecendo. Talvez isso ocorra com tanta rapidez que você se sinta incapaz de controlá-la, obrigando-o a fazer e dizer coisas destrutivas para seus filhos.

O fato, aliado ao sentimento de culpa que se segue, assume proporções que chegam a nos deixar paralisados. Felizmente, recebi aconselhamento e apoio e fui capaz de superar o problema antes que pudesse causar algum dano a meu filho, mas muitas pessoas não são assim afortunadas.

Por eu ter consciência de não possuir uma experiência positiva para imitar quanto ao papel de mãe, fiquei nervosa e ansiosa quando meu primeiro filho nasceu. Temia fazer com ele o que fizeram comigo. Li todos os livros que encontrei sobre a tarefa de ser mãe e assisti a todos os seminários cristãos sobre criação de filhos dos quais tomei conhecimento. Tentei utilizar da melhor maneira possível as informações boas e úteis recebidas, porém nunca era o bastante.

Eu passava por grande agonia preocupando-me com o desenvolvimento social, espiritual, emocional e mental do meu filho, porém, a preocupação mais compulsiva era o temor de que algo ruim lhe acontecesse. Sequestro, afogamento, acidentes mutilantes, ferimentos irreparáveis, doenças, abuso sexual, violência, estupro ou morte, tudo passava pela minha cabeça como se fosse ocorrer com ele no futuro. Quanto mais eu tentava não me comportar como uma mãe superprotetora, os jornais, revistas e noticiários de televisão sobre crimes me deixavam mais preocupada com o bem-estar dele. Além de tudo, morávamos em Los Angeles, cidade onde explodia a violência mais feroz. Era mais do que eu podia suportar.

Um dia, clamei a Deus em oração, dizendo: "Senhor, isto é demais para mim. Não consigo vigiar meu filho 24 horas por dia, minuto a minuto. Como posso ter paz?".

Nas semanas seguintes o Senhor falou ao meu coração sobre entregar Christopher aos cuidados dele. Meu marido e eu havíamos dedicado nosso filho a Deus num culto da igreja, mas Deus queria mais que isso. Queria que nós continuássemos a lhe entregar Christopher diariamente. Essa dedicação não significava que iríamos abdicar de nossa responsabilidade como pais e, sim, que iríamos nos colocar em total parceria com Deus. *Ele* arcaria com o peso da carga e nos daria sabedoria, poder, proteção e capacidade muito além do que poderíamos imaginar. Nós desempenharíamos *nossa* tarefa de

16 O PODER DOS PAIS QUE ORAM

disciplinar, ensinar, alimentar e "mostrar à criança no caminho em que deve andar", sabendo que "quando for velho, não se desviará dele" (Pv 22:6). Iríamos depender de Deus para nos capacitar a criar nosso filho de maneira adequada, e o Senhor providenciaria as bênçãos para a vida dele.

Parte importante de nossa tarefa era apresentar em oração os detalhes da vida de nosso filho. Agindo assim, aprendi a identificar as ansiedades, medos, preocupações e acontecimentos imaginários como um sussurro do Espírito Santo para eu orar por aquele fato especial. À medida que eu orava por Christopher e o entregava nas mãos de Deus, Deus libertava minha mente daquela preocupação. Isso não significa que no momento em que eu orava por algum problema não haveria necessidade de orar novamente por ele, mas ao menos durante algum tempo eu me sentia aliviada da carga. Quando o problema ressurgia, eu tornava a orar sobre ele. Deus não prometeu que nunca aconteceria algo de ruim com meu filho, mas a oração liberava o poder de Deus para operar na vida dele, e, no decorrer do tempo, eu pude desfrutar de mais paz.

Aprendi, também, que não deveria querer impor minha vontade quando orava por meu filho. Essa atitude gera frustação e desapontamento em todos os envolvidos. Você sabe a que tipo de oração eu me refiro, pois todos somos inclinados a orar assim: "Deus, peço que Christopher cresça e se case com a filha da minha melhor amiga". (*Os pais dela seriam ótimos sogros.*) Ou: "Senhor, permita que Amanda seja aceita naquela escola". (*Então eu me sentiria melhor comigo mesma.*)

É claro que talvez não tenhamos consciência das palavras entre parênteses, mas elas se encontram no fundo de nossa mente, inspirando-nos de forma sutil a impor nossa vontade ao ouvido de Deus. Eu descobri que é melhor orar assim:

Senhor, mostra-me como orar por este filho. Ajuda-me a criá-lo nos teus caminhos, e que seja feita a tua vontade na vida dele.

Quando nossa filha Amanda nasceu, quatro anos e meio depois de Christopher, Deus havia me ensinado o que significava orar com profundidade e a realmente interceder pela vida do meu filho. Nos doze anos seguintes Deus respondeu as minhas orações de maneira maravilhosa, e hoje eu vejo os resultados.

Meu marido e eu reconhecemos a mão de Deus na vida de nossos filhos, e eles também a reconhecem, pois é o poder de Deus que penetra na vida do filho quando um dos pais ora.

O que é oração e como funciona?

A oração é muito mais do que apresentar uma lista de desejos a Deus, como se ele fosse o grande Papai Noel do céu. Orar é reconhecer e experimentar a presença de Deus, e pedir que ele esteja presente em nossas vidas e circunstâncias. É buscar a *presença* de Deus e liberar o *poder* que ele nos dá para superar qualquer problema.

A Bíblia diz: "Tudo o que ligardes na terra terá sido ligado no céu, e tudo o que desligardes na terra terá sido desligado no céu" (Mt 18:18), Deus nos outorga autoridade na terra, e, quando nos apossamos dela, ele derrama seu poder sobre nós. Como se trata do poder *de Deus* e *não* do nosso, nós nos tornamos o vaso pelo qual o poder dele flui. Quando oramos, fazemos com que esse poder se derrame sobre nossos motivos de oração e permitimos que o poder de Deus opere por meio de nossa impotência. Quando oramos, nos humilhamos diante de Deus e confessamos: "Preciso da tua presença e do teu poder, Senhor.

18 O PODER DOS PAIS QUE ORAM

Não posso realizar isto sem ti". Quando não oramos, estamos dizendo que não precisamos de nada além de nós mesmos.

Orar em nome de Jesus é a chave para receber o poder de Deus, Jesus disse: "Em verdade, em verdade vos digo, se pedirdes alguma cousa ao Pai, ele vo-la concederá em meu nome" (Jo 16:23). Orar em nome de Jesus nos outorga autoridade sobre o inimigo e prova que temos fé em Deus para agir de acordo com suas promessas. Deus conhece nossos pensamentos e sabe de nossas necessidades, porém responde às orações que fazemos, e isso por que ele sempre nos dá opção em relação a tudo, até se vamos optar por confiar nele e obedecer-lhe orando em nome de Jesus.

Orar não só produz efeito sobre *nós*, mas também influencia as pessoas pelas quais oramos. Quando oramos por nossos filhos, estamos pedindo a Deus que torne sua presença marcante na vida deles e opere poderosamente em favor deles. Isso não significa que a resposta será sempre *imediata*. Às vezes pode demorar dias, semanas, meses e até anos, mas nossas orações jamais são perdidas ou sem sentido.

Se estamos orando, algo está ocorrendo, quer vejamos ou não. A Bíblia diz: "Muito pode, por sua eficácia, a súplica do justo" (Tg 5:16). Tudo o que é necessário acontecer em nossa vida e na vida de nossos filhos não pode acontecer sem a presença e o poder de Deus. A oração invoca e gera os dois.

Comece com uma lista personalizada

Eu comecei a orar por meus filhos já na época em que foram concebidos. Eu creio no poder da oração. O que eu *não* sabia na época era como os detalhes de nossa vida são importantes para Deus. Não basta orar apenas pelas preocupações do momento; precisamos orar pelo futuro e contra as influências de acontecimentos do passado. Quando o rei Davi se encontrava deprimido pelo que lhe ocorrera e temeroso quanto às consequências futuras (Sl 143), não disse só "Bem, o que acontecer, aconteceu". Ele clamou a Deus sobre seu passado, seu presente e seu futuro, orou a respeito de *tudo*. É o que nós também devemos fazer.

Para tomar essa atitude de modo eficaz descobri que eu precisava fazer uma lista abrangente e personalizada para cada filho. Não se tratava de uma obsessão legalista tipo "Se você não orar por detalhes específicos, Deus não vai atender". Era mais uma questão de tranquilidade por saber que Deus havia dado ouvidos a cada uma das minhas preocupações. Assim, uma vez por ano, quando íamos passar as férias na praia, bem cedo pela manhã, antes que todos se levantassem, eu gastava algum tempo diante de Deus preparando uma lista anual de oração.

Sentava de frente para o mar, lápis e papel na mão, e pedia a Deus que me orientasse como orar por cada filho nos próximos doze meses. Afinal, ele era o único que realmente sabia do que meus filhos precisavam e quais os desafios que enfrentariam no futuro. A Bíblia diz: "A intimidade do SENHOR é para os que o temem" (Sl 25:14). Ele nos revela as coisas quando perguntamos. Deus sempre se encontrou comigo ali na praia dando-me orientação preciosa, e eu voltava para casa com uma lista de oração para cada filho. Então, no decorrer do ano, eu acrescentava outros pedidos que considerava necessários.

Guardei algumas dessas listas e, agora, quando as releio e constato todas as respostas as minhas orações, emociono-me com a fidelidade de Deus ao operar na vida de nossos filhos quando nós oramos.

A Palavra de Deus como sua arma

A batalha pela vida de nossos filhos é travada nos joelhos. Quando não oramos, é como se nos sentássemos nas

20 O PODER DOS PAIS QUE ORAM

arquibancadas e ficássemos observando nossos filhos na frente da batalha sendo atingidos por projéteis de todos os lados. Mas quando oramos, participamos do combate junto com eles, nos apropriando do poder de Deus em favor deles. Se também proclamamos a Palavra de Deus em nossas orações, usamos uma arma poderosa contra a qual nenhum inimigo pode prevalecer.

A Palavra de Deus é "viva e eficaz, e mais cortante do que qualquer espada de dois gumes" (Hb 4:12), e penetra em tudo o que toca. Deus diz que sua Palavra "não voltará para mim vazia, mas fará o que me apraz, e prosperará naquilo para que a designei" (Is 55:11). Explicando melhor, a Palavra dele nunca é ineficaz ou infrutífera. Foi por esse motivo que incluí alguns versículos bíblicos logo depois dos exemplos de oração. Quando você estiver orando por seu filho, inclua um versículo apropriado da Escritura em sua oração. Se não conseguir lembrar de nenhum no momento em que estiver orando, não interrompa a oração; apenas cite um ou dois versículos todas as vezes que puder e verá acontecerem coisas extraordinárias.

À medida que você lê a Palavra durante seus momentos devocionais e ora por seus filhos sob a orientação do Espírito Santo, terminará encontrando mais versículos para citar em suas orações. E não é necessário ter um versículo diferente para cada oração; você pode escolher um ou dois e repeti-los duranre um período de tempo específico de intercessão por seu filho.

Por exemplo, quando minha filha passou por uma fase difícil na escola, todas as vezes que orávamos juntas pelo problema, eu a encorajava a citar: "Tudo posso naquele que me fortalece" (Fp 4:13). Quando orava sozinha, eu repetia: "Clamam os justos, e o SENHOR os escuta e os livra de todas as suas tribulações" (Sl 34:17).

Quando usamos a Palavra de Deus em oração, estamos descansando em suas promessas e particularizando-as na vida de nossos filhos. Por meio de sua Palavra, Deus nos orienta, fala conosco e nos relembra de sua fidelidade. Assim, ele coloca fé em *nosso* coração e nos capacita a entender o coração *dele*, o que nos ajuda a orar com ousadia pela fé, sabendo exatamente qual é a verdade *de* Deus, *sua* vontade e nossa autoridade.

Quando Jesus falou com Satanás, ele o repreendeu; e, algumas vezes ao repreendê-lo, Jesus citou as Escrituras. Por exemplo, quando Satanás disse a Jesus "se prostrado me adorares, toda [a glória destes reinos] será tua", ele replicou: "Está escrito: Ao Senhor teu Deus adorarás, e só a ele darás culto" (Lc 4:7-8).

Jesus é nosso modelo. Temos de olhar para ele e fazer o que ele fez. Jesus disse: "Em verdade, em verdade vos digo que aquele que crê em mim fará também as obras que eu faço, e outras maiores fará, porque eu vou para junto do Pai" (Jo 14:12) e, também: "Se permanecerdes em mim e as minhas palavras permanecerem em vós, pedireis o que quiserdes, e vos será feito" (Jo 15:7). Podemos resistir a Satanás com mais eficácia se oramos a Deus segundo a orientação que encontramos nas Escrituras, e se compreendemos o poder e a autoridade que nos são dados por intermédio de Jesus Cristo. Se nós...

OLHARMOS para ele,
ANDARMOS com ele,
 ESPERARMOS nele,
o ADORARMOS
e VIVERMOS de acordo com sua Palavra,
VENCEREMOS a batalha por nossos filhos.

Sempre que orar por seu filho, faça-o como se estivesse intercedendo pela vida dele — porque é *exatamente* o que você está fazendo. Não se esqueça que, se Deus tem um plano perfeito para a vida de nossos filhos, Satanás também tem

22   O PODER DOS PAIS QUE ORAM

um plano para eles: destruí-los. E para tanto usará de todos os meios possíveis: drogas, sexo, álcool, rebeldia, acidentes, doenças. Mas ele não será bem-sucedido em suas tentativas se o seu poder for dissipado pela oração. A Bíblia diz: "Como pode alguém entrar na casa do valente e roubar-lhe os bens sem primeiro amarrá-lo?" (Mt 12:29). Em outras palavras, não exerceremos nenhuma influência no território de Satanás se não o sujeitarmos e impedirmos o exercício de sua autoridade ali. Ainda mais, podemos também proibir que ele ataque a vida de nossos filhos.

É claro que Satanás pode causar muito dano se não ensinarmos os caminhos e a Palavra de Deus a nossos filhos, se não os ajudarmos a respeitar suas leis e se não os disciplinarmos, orientarmos e ajudarmos a fazer opções santas. A Bíblia nos diz: "Ensina a criança no caminho em que deve andar, e ainda quando for velho não se desviará dele" (Pv 22:6). Quando não agimos assim, nossos filhos podem se tornar rebeldes e fazer opções que vão tirá-los de sob a proteção de Deus.

A oração e a instrução adequada nos caminhos e na Palavra de Deus vão garantir que essas coisas não aconteçam e que o plano de Deus vença — não o de Satanás. A Bíblia diz: "Resisti ao diabo, e ele fugirá de vós" (Tg 4:7). Impedir os planos de Satanás em oração faz parte do resistir ao Diabo. Resistir a ele em favor de nossos filhos pode libertá-los para eles fazerem opções santas.

Satanás não vai desistir de tentar criar uma situação contra nossos filhos para poder atacá-los. Se, porém, estivermos armados com as Escrituras, ele terá de contender com a Palavra de Deus. A Bíblia diz: "Agora veio a salvação, o poder, o reino do nosso Deus e a autoridade do seu Cristo, pois foi expulso o acusador de nossos irmãos, o mesmo que os acusa de dia e de noite, diante do nosso Deus" (Ap 12:10). A morte de Jesus na cruz quebrou a espinha dorsal do acusador, mas Satanás ainda vai atormentar todos aqueles que não sabem que têm autoridade sobre ele, autoridade que é dada por Deus. É aí que entram nossas orações. Nossos filhos sofrerão acusação até que quebremos o baluarte do acusador em oração, usando a Palavra de Deus como prova conclusiva contra ele.

Um bom exemplo de oração respondida

Quando nosso filho estava com dois anos, meu marido e eu mantínhamos grupos regulares de oração em nossa casa. Nossa igreja havia organizado pequenos grupos nos lares, e liderávamos um deles. Pouco a pouco percebemos que as necessidades de nosso grupo eram grandes demais para ser preenchidas numa reunião mensal e, assim, marcamos mais uma noite por mês para orar com os adultos. Naquele período orávamos por todos os tipos de necessidade, mas o volume de pedidos de oração por nossos filhos era enorme.

Consequentemente, senti que precisávamos reservar um dia inteiro para orar especificamente com e por cada um de nossos filhos. Esse período de intercessão que chamamos "Intercedendo pela Vida de Nossos Filhos" tornou-se tão conhecido que as pessoas não paravam de solicitá-lo. Na verdade, os fundamentos para este livro começaram vinte anos atrás com esses grupos de oração. Nenhum de nós fazia a menor ideia de como eles se tornariam importantes; sabíamos apenas que estávamos seguindo a orientação do Senhor à medida que aprendíamos como interceder, e nos regozijávamos juntos quando testemunhávamos as muitas respostas para nossas orações. (Veja o *Apêndice: Orando com outros pais*, onde há sugestões sobre como programar um grupo de intercessão pelos filhos.)

A Bíblia diz: "Em verdade também vos digo que, se dois dentre vós, sobre a terra, concordarem a respeito de qualquer cousa que porventura pedirem, ser-lhes-á concedida por meu

24 O PODER DOS PAIS QUE ORAM

Pai que está nos céus" (Mt 18:19) e também, que um só poderia perseguir mil, e dois fazer fugir dez mil (Dt 32:30). Não
é preciso entender muito de matemática para imaginar como
são poderosos dez ou doze pais reunidos para orar e clamar a
Deus por seus filhos.

No texto bíblico que usei como versículo-base para este livro, Deus ordena: "Derrama o teu coração como água perante
o SENHOR; levanta a ele as tuas mãos, pela vida de teus filhinhos" (Lm 2:19). Aí está dito com toda a clareza que devemos
orar com fervor e zelo por nossos filhinhos, e aguardar resposta
para nossas orações.

Foram tantas as respostas às orações feitas pelo grupo nos
últimos vinte anos que eu poderia escrever um livro só sobre
esse tema, com o testemunho de pais e filhos envolvidos. Um
exemplo específico, no entanto, me vem à mente, porque se
trata do resultado direto de nossa primeira reunião, e foi um
pedido premente de todos os participantes do grupo.

Nancy, mãe separada, pediu oração pela filha Janet, que
conhecia o Senhor, mas se encontrava afastada dele devido à
decepção e mágoa com o divórcio dos pais. Oramos pedindo
especificamente proteção para Janet, porque sabíamos que os
filhos que optam por andar longe do guarda-chuva das bênçãos
de Deus estão expostos a todo tipo de mal. Algumas semanas
depois da reunião de oração, Janet dirigia pela via expressa,
tarde da noite, e colidiu de frente com um motorista bêbado que vinha em alta velocidade pela contramão. Os médicos
afirmaram que foi um milagre ela ter sobrevivido, pois sofreu
lesões graves na cabeça, no pescoço, nos ombros e nas costas.

Depois de contínua oração e fisioterapia, Janet se recupe-
rou por completo, física e espiritualmente.

Tanto Janet quanto sua mãe e todos os que oraram acreditam que ela não estaria viva se nós não tivéssemos intercedido
em seu favor antes do acidente. Hoje, casada e feliz, com uma

filha linda, Janet é uma cristã consagrada. Ela foi nossa secretária e assistente durante oito anos e será sempre nossa maravilhosa lembrança do poder de uma mãe de oração.

Quando não há resposta

Talvez o aspecto mais difícil de orar por nossos filhos seja esperar pelas respostas. Às vezes as respostas são rápidas, mas outras vezes não vêm tão depressa. Aí ficamos desanimados, desesperados ou zangados com Deus. Tudo parece perdido e dá vontade de desistir. Às vezes, mesmo depois de tudo o que fizemos por eles, e de nossas orações, nossos filhos fazem opções erradas e colhem as consequências. São momentos difíceis para os pais, não importa a idade do filho.

Se seu filho fez opções erradas, não se culpe nem pare de orar. Mantenha aberto o canal de comunicação com ele, continue intercedendo por seu filho e proclame a Palavra de Deus. Em vez de desistir, decida-se a se comprometer ainda *mais* com a oração. Ore com outros cristãos. Permaneça firme e diga: "Eu apenas comecei a lutar", sem se esquecer que *sua* função na batalha é orar. Na verdade é *Deus* que luta na batalha. Lembre-se, também, que seu combate não é contra o seu filho e, sim, contra o demônio. É ele o inimigo, não o seu filho. Mantenha-se firme em oração até ver um sinal de progresso na vida do seu filho.

Um dos textos bíblicos mais encorajadores que já li em relação à perseverança encontra-se em Salmos 18:37-39, quando Davi diz: "Persegui os meus inimigos e os alcancei, e só voltei depois de haver dado cabo deles. Esmaguei-os a tal ponto que não puderam levantar-se: caíram sob meus pés. Pois de força me cingiste para o combate, e me submeteste os que se levantaram contra mim". Ele não parou enquanto não terminou a tarefa, nem nós devemos parar. Devemos continuar orando até recebermos a resposta.

Se você guarda sentimentos de ira ou de rancor contra Deus ou contra seu filho — sim, até pais amorosos podem ter esses sentimentos —, confesse a Deus com sinceridade. Se você está decepcionado e desesperançado, fale com clareza. Não viva com emoções negativas e sentimento de culpa que podem separá-lo de Deus. Compartilhe honestamente todos os seus sentimentos com ele, peça-lhe perdão e, também, que lhe mostre qual deve ser o próximo passo. Acima de tudo, não deixe que uma decepção ou oração sem resposta faça você deixar de orar.

Eu disse pais de "oração", não pais "perfeitos"

Quando as coisas dão errado na vida de nossos filhos, nós nos culpamos, nos fustigamos por não sermos pais perfeitos. O fato de não ser um pai perfeito não vai fazer diferença na vida de um filho, porque não existem pais perfeitos. Nenhum de nós é perfeito; então, como podemos ser pais sem defeitos? Ser um pai de oração é que faz a diferença. E isso é algo que *todos* podem ser. Na verdade, nós nem temos de ser pais; podemos ser um amigo, um professor, um avô, uma tia, um primo, um vizinho, um tutor, até mesmo um estranho com um coração compassivo ou preocupado com um filho. O filho pode ser alguém de quem ouvimos falar ou sobre quem lemos no jornal. Pode até ser um adulto por quem temos um interesse de pai ou de mãe.

Se você conhece uma criança que não tem pais de oração, você pode preencher essa lacuna agora mesmo e responder a essa necessidade. Você é capaz de transformar a vida de qualquer criança pela qual se interesse. O importante é ter no coração uma súplica: "Deus, mostra-me como orar de maneira que faça diferença na vida desta criança". Comece, então, com as orações contidas neste livro e espere pela orientação do Espírito Santo.

Ao final de cada capítulo incluí sugestões de oração pata ajudá-lo. Talvez você queira fazer uma oração por dia durante um mês, ou fazer uma oração específica durante uma semana, ou se concentrar em sua preocupação mais urgente até se sentir liberado para passar para outra.

Repita as orações quantas vezes quiser. Deus não disse: "Não venha a mim vez após vez com o mesmo pedido". Na verdade, temos de orar sem cessar. Procure, no entanto, não fazer vãs repetições em sua oração.

E lembre-se: você não tem de ficar preso a um programa ou a essas orações específicas; elas servem apenas de orientação para você continuar. Comece submerendo-se a Deus e pedindo que ele o ajude a ser o pai e intercessor que ele quer que você seja. Ore para que o Espírito Santo o oriente quando se sentir inspirado a orar por seu filho.

Gostaria de ficar sabendo das respostas obtidas por intermédio de suas orações.

Oração

Senhor,

Eu me submeto a ti. Reconheço que ser pai (mãe) como o Senhor quer que eu seja está além da minha capacidade humana. Sei que preciso da tua ajuda. Quero me associar a ti e receber o dom de sabedoria, discernimento, revelação e orientação. Preciso também de tua força e paciência, juntamente com uma porção generosa do teu amor fluindo por meu intermédio. Ensina-me a amar como tu amas, Senhor. Onde eu precisar ser curado, liberto, transformado, amadurecido ou aperfeiçoado, eu te convido a realizar tua obra em mim. Ajuda-me a andar em retidão e pureza diante de ti. Ensina-me os teus caminhos, capacita-me a obedecer aos teus mandamentos e a fazer apenas o que for agradável aos teus olhos. Que a beleza do teu Espírito seja visível em mim para que eu sirva de exemplo como cristão. Dá-me a capacidade de comunicação, de ensino e de proteção que devo ter. Faz de mim o pai (mãe) que devo ser, e ensina-me a orar e a realmente interceder pela vida deste filho (a). Senhor, tu disseste em tua Palavra: "E tudo quanto pedirdes em oração, crendo, recebereis" (Mt 21:22). Em nome de Jesus eu peço que o Senhor aumente a minha fé para que eu creia em todas as coisas que colocaste em meu coração a respeito deste filho (a) para que eu ore por elas.

Armas de guerra

Não fostes vós que me escolhestes a mim; pelo contrário, eu vos escolhi a vós outros, e vos designei para que vades e deis frutos, e o vosso fruto permaneça; a fim de que tudo quanto pedirdes ao Pai em meu nome, ele vo-lo conceda.

João 15:16

O justo anda na sua integridade, felizes lhe são os filhos depois dele.

Provérbios 20:7

E tudo quanto pedirdes em meu nome, isso farei, a fim de que o Pai seja glorificado no Filho. Se me pedirdes alguma cousa em meu nome, eu o farei.

João 14:13-14

E vós, pais, não provoqueis vossos filhos à ira, mas criai-os na disciplina e na admoestação do Senhor.

Efésios 6:4

Tomai também o capacete da salvação e a espada do Espírito, que é a palavra de Deus; com toda oração e súplica, orando em todo tempo no Espírito, e para isso vigiando com toda perseverança e súplica por todos os santos.

Efésios 6:17-18

CAPÍTULO 2

Entregando meu filho nas mãos de Deus

Eu não tinha paz quando nasceu meu primeiro filho, Christopher, porque me preocupava com tudo. Tinha medo que alguém o deixasse cair, que ele se afogasse na banheira, que ficasse mortalmente doente, que eu me esquecesse de alimentá-lo, que fosse mordido por um cão, ferido num acidente de carro, sequestrado ou perdido. Num ato mais de desespero do que de obediência, eu clamei a Deus sobre minhas preocupações. Imediatamente ele me lembrou que Christopher era um presente dele para nós, e que *ele* cuidaria muito melhor de nosso filho do que nós seríamos capazes de cuidar. Eu fui lembrada do ensino bíblico para lançar "sobre ele toda a vossa ansiedade" (1Pe 5:7), e assim fiz:

> Senhor, meu filho é o maior 'cuidado' que possuo, e eu o coloco em tuas mãos. Só tu podes criá-lo direito e realmente guardá-lo em segurança. Não vou mais lutar para realizar tudo sozinha. Quero fazer parceria contigo.

Daquele momento em diante, sempre que eu ficava com medo de alguma coisa, na mesma hora considerava aquele medo como um sinal para orar até sentir paz. Se eu não me sentisse em paz logo em seguida, orava a respeito com um ou mais companheiros de oração até que a paz descesse sobre mim. Diariamente eu entregava meu filho a Deus e pedia-lhe para cuidar dele. A pressão desaparecia e a missão de mãe se tornava muito mais agradável.

Durante esses anos todos orei assim muitas vezes pelos, meus filhos. Intercedi por eles na primeira manhã de domingo em que os deixei no berçário da igreja; quando ficaram com a babá à noite; no dia em que foram para o jardim de infância; nas vezes em que os deixei na sala de cirurgia para levarem alguns pontos; no primeiro fim de semana que passaram em casa de amigos; na semana em que fui para Washington D.C. numa viagem missionária; todas as vezes que foram para o acampamento; na manhã que meu filho dirigiu o carro da família pela primeira vez, e sempre que ele ia jogar futebol.

Há pouco tempo entreguei meu filho de novo nas mãos de Deus — quando ele foi para a faculdade. Chorei muito nos meses anteriores àquele tremendo instante de separação, pois me dei conta de que nossa vida nunca mais seria a mesma. Então, antes do grande dia, Deus tornou vívidas estas palavras: "Saireis com alegria, e em paz sereis guiados; os montes e os outeiros romperão em cânticos diante de vós" (Is 55:12). E não só isso: ele me deu entendimento e convicção de que, depois do sofrimento inicial da entrega de nossos filhos, haveria alegria e paz tanto para nós como para eles.

Nós temos certeza de que, independente da fase que nossos filhos estão vivendo, quando os entregamos nas mãos de Deus, eles estão em *boas mãos*. Sabemos que eles seguirão adiante em paz e alegria, que Deus abrirá o caminho deles e fará o mesmo para nós. Pode haver maior conforto que esse? Assim, no dia em que levamos Christopher para acomodá-lo no dormitório dos calouros na faculdade, eu experimentei a alegria e a paz que só Deus pode oferecer, e tenho quase certeza de ter ouvido as montanhas e colinas cantando.

Eu sei que em muitas outras ocasiões, no futuro, terei de entregar meus filhos nas mãos de Deus. A mais importante será quando se casarem. Sempre que penso nisso me recordo da história de Ana, que orou a Deus pedindo um filho. O Senhor a atendeu, e ela deu à luz a Samuel. Depois ela disse:

> Por este menino orava eu; e o SENHOR me concedeu a petição, que eu lhe fizera. Pelo que também o trago como devolvido ao SENHOR, por todos os dias que viver.
> 1Samuel 1:27-28

Ana entregou-o tão completamente a Deus que logo que o desmamou levou-o à Casa do Senhor para morar com Eli, o sacerdote. Ela agiu assim para cumprir um voto que havia feito a Deus em relação a Samuel; portanto, você não precisa se preocupar (ou se entusiasmar muito, se for o caso); Deus não vai pedir que você deixe seu filho no escritório da igreja para ser criado pelo pastor. O importante é que Ana entregou o filho a Deus e agiu segundo a orientação dele. O resultado foi que Samuel tornou-se um dos maiores profetas de Deus que já existiu.

Nós não queremos limitar a atuação de Deus na vida de nossos filhos prendendo-os a nós e tentando criá-los sozinhos. Se não estivermos convictos de que é Deus que está mantendo esse controle, seremos regidos pelo medo, e a única maneira de ter certeza de que Deus *está* no controle é abrir mão de nossa resistência e permitir que ele tenha pleno acesso à vida deles. E para tanto é necessário viver de acordo com a Palavra e os caminhos de Deus e orar a respeito de tudo. Podemos confiar que Deus cuidará de nossos filhos melhor do que nós o faríamos. Quando entregamos nossos filhos nas mãos do Pai e reconhecemos que ele está no controle da vida deles e da nossa, nós e nossos filhos desfrutamos de uma grande paz.

Nós não podemos estar em todos os lugares, mas Deus pode. Não podemos ver tudo, mas Deus vê. Não podemos saber tudo,

32 O PODER DOS PAIS QUE ORAM

mas Deus sabe. Não importa a idade de nossos filhos: entregá-los nas mãos de Deus é um sinal de nossa fé e confiança nele, e o primeiro passo para que haja diferença na vida deles. É na entrega que começamos a orar por nossos filhos.

Oração

Senhor,

Eu me chego a ti em nome de Jesus e te entrego (nome do filho (a)). Estou convencido de que só tu sabes o que é melhor para ele (a), que só tu sabes o que ele (a) precisa. Eu o (a) entrego aos teus cuidados e proteção, e me comprometo a orar por tudo o que me lembrar ou que o Senhor colocar em meu coração em relação a ele (a). Ensina-me a orar e orienta-me sobre o que orar. Ajuda-me a não impor minha própria vontade quando eu estiver orando por ele (a), mas capacita-me a orar para que a tua vontade seja feita na vida dele (a).

Obrigado por eu poder partilhar contigo a criação dele (a), e porque não preciso fazer isso sozinha. Também sou grata por não ter de confiar nos métodos falíveis e inconstantes do mundo sobre criação de filhos, e por ter orientação segura na tua Palavra e sabedoria que vem como resposta de oração.

Obrigado, Senhor, pela preciosa dádiva deste filho (a). A tua Palavra diz que toda dádiva perfeita vem de ti, e eu sei que o Senhor o (a) deu a mim para cuidar e educar. Ajuda-me nessa tarefa. Mostra-me em que aspecto eu ainda continuo a prendê-lo (a) e capacita-me a entregá-lo (a) ao teu cuidado, direcionamento e conselho. Ajuda-me para que eu não viva com medo de eventuais perigos, e sim com alegria e paz, consciente de que tu estás no controle. Eu confio tudo a ti, e hoje entrego meu filho (a) a ti e o (a) coloco em tuas mãos.

Armas de guerra

Ora, se vós, que sois maus, sabeis dar boas dádivas aos vossos filhos, quanto mais vosso Pai que está nos céus dará boas cousas aos que lhe pedirem?

Mateus 7:11

Mas a misericórdia do Senhor é de eternidade a eternidade, sobre os que o temem, e a sua justiça sobre os filhos dos filhos; para com os que guardam a sua aliança, e para com os que se lembram dos seus preceitos e os cumprem.

Salmos 103:17-18

Não trabalharão debalde, nem terão filhos para a calamidade, porque são a posteridade bendita do Senhor, e os seus filhos estarão com eles.

Isaías 65:23

Herança do Senhor são os filhos; o fruto do ventre, seu galardão.

Salmos 127:3

E aquilo que pedimos, dele recebemos, porque guardamos os seus mandamentos, e fazemos diante dele o que lhe é agradável.

1João 3:22

CAPÍTULO 3

Assegurando proteção contra o mal

Nossas orações mais urgentes são relacionadas com a proteção de nossos filhos. É difícil pensar em outros aspectos da vida deles se nos encontramos muito preocupados com sua segurança física. Como orar por acontecimentos futuros se não sabemos se eles terão futuro?

O fato de morar em Los Angeles durante os primeiros dezessete anos de vida do meu filho e os doze primeiros de minha filha já era um bom motivo para temer pela segurança deles. O índice de crimes subia continuamente durante aqueles anos, e até nossa "boa" vizinhança não os protegia de nada. Eu orava todos os dias pedindo a proteção de Deus. Comecei a interceder pela segurança de meus filhos *antes* que nascessem, orando para que fossem guardados de coisas como morte no berço e doenças infantis. À medida que iam crescendo, eu orava para que fossem protegidos contra violência, abusos e acidentes. Eu orava sozinha, eu orava com meu marido, eu orava com meus companheiros de oração: "Guarda (-os) como a menina dos olhos, esconde (-os), à sombra das tuas asas, dos perversos que me (os) oprimem, inimigos que me (os) assediam de morte" (Sl 17:8-9).

As duas crianças tiveram sua cota de arranhões, cortes e outros pequenos acidentes comuns às crianças, incluindo alguns ferimentos que exigiram suturas em hospital. Nada lhes aconteceu, no entanto, que causasse problemas graves ou permanentes, isto é, até meu filho sofrer o acidente de carro que ele relatou no início deste livro.

Certa manhã, logo depois que Christopher, com quinze anos, e Amanda, com dez, saíram para a escola, eu recebi o telefonema que assustou todos os pais.

— Sra. Omartian, seu filho está bem, mas ele sofreu um grave acidente de carro e se encontra no pronto-socorro. Foi quase uma colisão frontal e nenhum dos três rapazes estava usando cinto de segurança.

A caminho do hospital, meu marido e eu oramos pelos três garotos e, enquanto orávamos, lembrei-me de quantas vezes havíamos imposto as mãos sobre Christopher e pedido para que fosse guardado de acidentes de carro. Lembrei do texto bíblico que, com frequência, proclamava em favor dele: "Porque aos seus anjos dará ordens a teu respeito, para que te guardem em todos os teus caminhos. Eles te sustentarão nas suas mãos, para não tropeçares nalguma pedra" (Sl 91:11-12).

Eu acreditava que Deus responde às orações e que suas promessas são verdadeiras. Se Christopher sofrera um acidente de carro, Deus e seus anjos deveriam estar lá para protegê-lo. Veio-me à mente também o texto bíblico referente ao justo que teme a Deus: "Não se atemoriza de más notícias: o seu coração é firme, confiante no Senhor" (Sl 112:7), e eu comecei a sentir a paz de Deus que excede todo o entendimento.

Ao chegarmos ao hospital, soubemos que, no momento da colisão, meu filho se encontrava no banco traseiro com uma mochila cheia de uniformes do time de futebol americano no colo e, por isso, havia sofrido uma contusão no joelho e um mal jeito nas costas. O rapaz que estava na frente havia sido jogado contra o para-brisa e estava gravemente ferido. O motorista bateu no volante e sofreu cortes no rosto. O carro ficou totalmente destruído.

Nós e os pais dos outros rapazes ficamos atônitos ao saber que, depois de tantos conselhos para que usassem o cinto de segurança, eles não os estavam usando. Se tivessem obedecido às normas, talvez não se ferissem. A boa notícia foi que, se nós

36 O PODER DOS PAIS QUE ORAM

não tivéssemos orado, eles poderiam ter morrido ou sofrido lesões graves e permanentes. Todos sabíamos que nossos filhos haviam sido poupados porque intercedíamos por eles em nome de Jesus, e ficamos gratos a Deus.

Ser pais de oração não significa que nada de mal jamais acontecerá com seus filhos ou que eles jamais passarão por sofrimentos. Passarão, sim, porque o sofrimento faz parte da vida neste mundo decaído, mas a Bíblia nos garante que nossas orações desempenham um papel importante para afastá-los das tribulações. E, quando ocorre algo doloroso, eles serão protegidos em meio ao problema que servirá para o aperfeiçoamento e não para a destruição deles.

É aí, mais uma vez, que a Palavra de Deus desempenha um papel vital em suas orações e na sua paz.

É incontável o número de vezes que orei pedindo proteção para minha família e por mim enquanto morávamos em Los Angeles. Toda vez que eu pedia a Deus para nos proteger da violência que dominava por toda parte, eu citava estes textos: "O Deus que me livrou dos meus inimigos; sim, tu que me exaltaste acima dos meus adversários, e me livraste do homem violento" (Sl 18:48). "Bendito seja o Senhor, que engrandeceu a sua misericórdia para comigo, numa cidade sitiada" (Sl 31:21).

Os terremotos eram outra grande preocupação na Califórnia. Eu orava a respeito deles o tempo todo, mas principalmente à noite antes de dormir. Todos os terremotos pelos quais passei me acordaram de um sono profundo. Quando ocorre um fato desses, você acorda de repente numa escuridão de breu e tudo ao redor balança, o barulho é assustador e ruge em seus ouvidos. Basta acontecer uma vez para que você jamais se esqueça da experiência. Eu nunca fui me deitar sem pensar em terremotos e orar por toda a família, e nunca deixei de citar: "Deus é o nosso refúgio e fortaleza, socorro bem presente nas tribulações. Portanto não temeremos ainda que a terra se transtorne, e os montes se abalem no seio dos mares; ainda que as águas tumultuem e espumejem, e na sua fúria os montes se estremeçam" (Sl 46:1-3).

Embora o texto bíblico prometa segurança em meio ao problema, eu pedia mais que isso: "Senhor, peço que não haja um terremoto, mas, se houver, que não seja aqui. Se, no entanto, for da tua vontade que estejamos aqui, que o Senhor nos proteja".

Creio que Deus respondeu a minha oração quando nos mudamos de Northridge antes que a região fosse atingida pelo terremoto de 17 de janeiro de 1994. Meses depois, quando meus filhos e eu passamos pelas ruínas, ficamos horrorizados ao ver o tamanho do estrago. A casa que havia sido nossa fora destruída. O que nos causou maior espanto foi a maneira como Deus nos havia salvado, e como a mão dele se estendeu sobre nós em resposta as nossas orações.

Mas, se estivéssemos naquele terremoto, tenho certeza de que Deus teria nos protegido, como ele protegeu miraculosamente a tantos outros. Desastres ocorrem em todo lugar. O importante é orar e confiar na resposta de Deus.

Há coisas que acontecem quando oramos e que não acontecem quando deixamos de orar. O que poderia, ou *não* poderia acontecer a nossos filhos se não orarmos hoje? Não vamos esperar para descobrir. Vamos cair de joelhos agora.

Oração

Senhor,

Eu coloco (nome do filho (a)) na tua presença e peço que ponhas um muro de proteção ao redor dele (a). Protege sua alma, corpo, mente e emoções contra qualquer tipo de mal ou dano. Peço especificamente para que tu o (a) protejas de acidentes, doenças, ferimentos e qualquer tipo de abuso físico, mental e emocional. Peço que ele (a) se refúgie "à sombra das tuas asas até que passem as

38 O PODER DOS PAIS QUE ORAM

calamidades" (Sl 57:1). Livra-o (a) de todo tipo de influência maligna que possa prejudicá-lo (a). Mantém-no (a) a salvo de perigos ocultos, e que nenhuma arma criada contra ele (a) possa prosperar. Obrigado, Senhor, por todas as tuas promessas de proteção. Ajuda-o (a) a andar nos teus caminhos e em obediência a tua vontade, para que nunca se afaste dos teus cuidados. Guarda-o (a) em tudo o que fizer e para onde quer que vá. Eu oro em nome de Jesus.

Armas de guerra

O que habita no esconderijo do Altíssimo, e descansa à sombra do Onipotente, diz ao SENHOR: Meu refúgio e meu baluarte, Deus meu, em quem confio.

Salmos 91:1-2

Quando passares pelas águas eu serei contigo; quando pelos rios, eles não te submergirão; quando passares pelo fogo, não te queimarás, nem a chama arderá em ti.

Isaías 43:2

Toda arma forjada contra ti não prosperará; toda língua que ousar contra ti em juízo, tu a condenarás; esta é a herança dos servos do SENHOR, e o seu direito que de mim procede, diz o SENHOR.

Isaías 54:17

Pois disseste: O SENHOR é o meu refúgio. Fizeste do Altíssimo a tua morada. Nenhum mal te sucederá, praga nenhuma chegará a tua tenda.

Salmos 91:9-10

Em paz me deito e logo pego no sono, porque, SENHOR, só tu me fazes repousar seguro.

Salmos 4:8

CAPÍTULO 4

Sentindo-se amado e aceito

Uma das coisas mais difíceis para as crianças lidarem são as mentiras que lhes vêm à mente com roupagem de verdade: "Não sou amado", "não sou aceito", "não sou apreciado", "não sou bonito", "não sou tão bom quanto deveria ser", "sou gordo demais", "magro demais", "baixo demais", "burro demais", "inteligente demais", "tudo demais". Essas mentiras vão se desenvolvendo à medida que as crianças passam para a adolescência e, às vezes, as acompanham até a idade adulta. É por isso que estou convencida de que nunca é cedo demais para começar a orar para que um filho se sinta amado e aceito — primeiro por Deus, depois pela família, pelos colegas, etc. Podemos começar quando eles são bebês ou mesmo na idade que seu filho tem agora, e orar a respeito durante toda a vida deles.

O contrário de ser amado e aceito é ser rejeitado — algo que todos nós já vivenciamos uma vez ou outra em nossa vida. Quem dentre nós nunca se sentiu constrangido, humilhado, fracassado, errado ou desaprovado por algo que tenha feito? Quer seja por uma pessoa da família, um amigo ou um desconhecido, há sempre um momento em que somos rejeitados. Algumas pessoas não ligam para esses incidentes porque sabem, bem no fundo, que são aceitas. Outras, no entanto, podem desenvolver feridas emocionais profundas provocadas por incidentes sucessivos de rejeição, e, se não se sentem aceitas, a personalidade delas se transforma em algo feio. É por isso que o sentimento de rejeição se encontra na raiz de toda a maldade que vemos diariamente nos jornais.

Um funcionário rejeitado volta à empresa em que trabalhava e atira no chefe e nos colegas. Um marido rejeitado espanca ou mata a esposa. A mãe que foi rejeitada maltrata o filho. A rejeição traz à tona o que há de pior nas pessoas. O amor e a aceitação trazem à tona o melhor. A pessoa que já se sente rejeitada interpreta tudo como rejeição — um simples olhar, uma palavra inocente, uma atitude insignificante. Aquele que se sente amado e aceito não vê nada demais no mesmo olhar, na mesma palavra, na mesma atitude. A pessoa talvez *não* seja rejeitada, mas, se ela *acredita* que é, o efeito será tão desastroso como se fosse verdade.

O amor de Deus, no entanto, pode mudar tudo isso. Saber que Deus nos ama e nos aceita muda nossa vida. Ele diz: "Tu és o meu servo, eu te escolhi e não te rejeitei" (Is 41:9). "Com amor eterno eu te amei" (Jr 31:3). E ele prova seu amor porque: "Deus prova seu próprio amor para conosco, pelo fato de ter Cristo morrido por nós, sendo nós ainda pecadores" (Rm 5:8). E, para coroar tudo o que foi mencionado acima, a Bíblia nos assegura que "nem a morte, nem a vida, nem anjos, nem principados, nem cousas do presente, nem do porvir, nem poderes, nem altura, nem profundidade, nem qualquer outra criatura poderá separar-nos do amor de Deus, que está em Cristo Jesus, nosso Senhor" (Rm 8:38-39).

Precisamos orar para que nossos filhos entendam essas verdades, pois elas são o alicerce sobre o qual serão baseados os sentimentos de amor e aceitação que moldarão o caráter deles.

Embora o amor de Deus seja, em última análise, o fator mais importante na vida de qualquer pessoa, o amor dos pais (ou a falta dele) é percebido e sentido primeiro. O amor paterno é o primeiro que a criança vivencia e o primeiro que ela compreende. Na verdade, o amor dos pais é, muitas vezes, o

SENTINDO-SE AMADO E ACEITO **41**

meio pelo qual os filhos se tornam receptivos ao amor de Deus e passam a entendê-lo bem no início da vida. Por essa razão, quando meus filhos nasceram eu costumava orar: "Deus, ajuda-me a realmente amar o meu filho da maneira que tu queres que eu o ame, e ensina-me a mostrar-lhe meu amor de modo que ele possa entender".

Se, no entanto, seu filho já é mais velho e dá mostras que não se sente amado, você pode começar agora a pedir a Deus que penetre com *seu* amor no coração dele e o torne receptivo para aceitar o amor dos pais e de outras pessoas.

Peça a Deus para mostrar como você pode transmitir amor a seu filho, e não dê ouvidos ao diabo que deseja oprimi-lo com sentimento de culpa a respeito de erros do passado. Você conhece suas táticas:

> Seu filho não se sente amado porque você é um pai detestável.
>
> Se você não fosse tão problemático, teria sido capaz de transmitir amor a seu filho.
>
> Você nunca foi amado por ninguém; como pode amar outra pessoa?
>
> São mentiras saídas do inferno e fazem pane do plano de Satanás para a vida de seu filho.

Se você está sendo atormentado por sentimentos de culpa ou fracasso nessa área, confesse seus pensamentos a Deus, ore a respeito deles, coloque-os nas mãos de Deus e depois fique de pé e proclame a verdade. Afirme: "Deus ama o meu filho. Eu amo o meu filho. Há outras pessoas que também o amam. Se ele não se sente amado é porque acreditou nas mentiras do inimigo. Nós nos recusamos a viver de acordo com as mentiras de Satanás".

Talvez você precise insistir nessa atitude por algum tempo, mas não desanime. Continue resistindo às mentiras do diabo

42 O PODER DOS PAIS QUE ORAM

e proclame a verdade de Deus. Ore para que o amor de Deus penetre no coração do seu filho e, também, para que o seu amor seja notado e aceito.

Simultaneamente com a oração, os filhos precisam ver o amor manifestado por eles por meio de um olhar firme, toque físico (um afago, um abraço, um beijo) e atitudes amorosas, atos e palavras. Descobri que quando eu fazia um esforço deliberado para olhar meus filhos bem nos olhos, acariciando-os e dizendo, com um sorriso: "Eu o amo e acho que você é muito legal", havia *sempre* uma alteração imediata e perceptível nos rostos e no porte deles.

Experimente, e você vai ver a que me refiro.

Talvez, no início, seja meio esquisito, caso você não tenha agido assim antes ou se seu filho já é mais velho ou mesmo adulto, mas não desista. Se você está hesitante, ore para que Deus o capacite a agir dessa maneira, e para que sua atitude seja bem recebida.

Se você acha que não tem o amor que precisa para oferecer a seu filho, peça-o ao Espírito Santo. A Bíblia diz: "O amor de Deus é derramado em nossos corações pelo Espírito Santo, que nos foi outorgado" (Rm 5:5).

Um dos propósitos mais importantes de Deus para a sua vida é encher você com o amor dele para que seja derramado sobre outras pessoas. Orar por seu filho será não só um sinal desse amor em seu coração, mas também o meio pelo qual ele irá se multiplicar e transbordar.

Oração

Senhor,

Eu peço para que (nome do filha (a)) se sinta amado (a) e aceito (a). Penetra no coração dele (a) com o teu amor agora e ajudo-o (a) a entender plenamente como ele (a) é completo (a) e importante.

A tua Palavra diz que o Senhor nos amou tanto que enviou teu Filho para morrer por nós (Jo 3:16). Livra-o (a) das mentiras do inimigo que possam ter sido inculcadas em sua mente para fazer com que duvide dessa verdade. Jesus disse: "Como o Pai me amou, também eu vos amei; permanecei no meu amor" (Jo 15:9).

Senhor, ajuda (nome do filho (a)) a permanecer no teu amor. Que ele (a) possa dizer como Davi: "Faze-me ouvir pela manhã da tua graça, pois em ti confio" (Sl 143:8). Manifesta teu amor por este filho (a) de maneira real hoje, e ajuda-o (a) a aceitá-lo.

Peço também que tu me ajudes a amar este filho (a) de modo incondicional, como tu amas, e me capacites a demonstrá-lo de modo que ele (a) perceba. Revela-me como eu posso demonstrar e exemplificar teu amor por ele (a) para que possa ser claramente compreendido. Peço que todos os membros da minha família, e as outras pessoas, o (a) amem e aceitem também. Que a cada dia cresça nele (a) a confiança de ser amado (a) e aceito (a). Aumenta nele (a) a capacidode de transmitir amor à outras pessoas com facilidade.

Capacita-o (a) a demonstrar amor de modo adequado. Que ele (a) venha a compreender plenamente a profundidade do teu amor e o receba dentro da alma. Faça com que ele (a) seja um vaso por meio do qual teu amor flua para os demais. Eu oro em nome de Jesus.

Armas de guerra

Nisto se manifestou o amor de Deus em nós, em haver Deus enviado o seu Filho unigênito ao mundo, para vivermos por meio dele. Nisto consiste o amor, não em que nós tenhamos amado a Deus, mas em que ele nos amou, e enviou o seu Filho como propiciação pelos nossos pecados. Amados, se Deus de tal maneira nos amou, devemos nós, também, amar uns aos outros.

1João 4:9-11

Porque tu és povo santo ao SENHOR teu Deus; o SENHOR, teu Deus, te escolheu, para que lhe fosses o seu povo próprio, de todos os povos que há sobre a terra.

Deuteronômio 7:6

E nós conhecemos e cremos o amor que Deus nos tem. Deus é amor, e aquele que permanece no amor permanece em Deus, e Deus, nele.

1João 4:16

Entretanto, devemos sempre dar graças a Deus, por vós, irmãos amados pelo Senhor, por isso que Deus vos escolheu desde o princípio para a salvação, pela santificação do Espírito e fé na verdade.

2Tessalonicenses 2:13

Bendito o Deus e Pai de nosso Senhor Jesus Cristo, que nos tem abençoado com toda sorte de bênção espiritual nas regiões celestiais em Cristo, assim como nos escolheu nele antes da fundação do mundo, para sermos santos e irrepreensíveis perante ele; e em amor nos predestinou para ele, para a adoção de filhos, por meio de Jesus Cristo, segundo o beneplácito de sua vontade, para louvor da glória de sua graça, que ele nos concedeu gratuitamente no Amado.

Efésios 1:3-6

CAPÍTULO 5

Fundamentando o futuro eterno

Acima de tudo o mais, nós queremos que nossos filhos venham a conhecer quem Deus realmente é e a Jesus como Salvador pessoal. Quando isso acontece, sabemos que a vida eterna deles está assegurada. Quando morrerem, iremos vê-los de novo no céu. Essa é uma esperança maravilhosa!

Debby Boone e o marido, Gabri, que participaram de alguns grupos de oração "Intercedendo pela vida do seu filho", pediram-me que escrevesse uma música para um de seus discos, e que ela pudesse cantar como um salmo do coração para os filhos. Eu escrevi a letra para uma música chamada "Acima de tudo o mais", meu marido fez a melodia, Debby gravou e agora canta em suas apresentações. Creio que as palavras a seguir resumem o que está no íntimo de todo pai cristão:

Tanto para falar e apenas o espaço de uma vida para fazê-lo.
Como o tempo passa depressa!
Se eu tivesse liberdade de ação, eu o seguraria em meus braços.
Enquanto desabam a, tempestades da vida.
Eu não estarei sempre com você, meu filho, mas posso

Dar-lhe um conselho.
Quando os ventos da esperança estiverem se extinguindo,
Estas palavras permanecerão.
Acima de tudo o mais, não se esqueça que Deus é o único que jamais o abandonará.

Busque por ele acima de tudo o mais.
Você pode confiar no amor dele, em seu coração pronto para
proteger.
Se na noite escura você se perder, ele ali estará.
Ele é o Pai Eterno,
De suas mãos você jamais cairá.
Ele é aquele que domina sobre tudo,
Acima de tudo o mais.
Ele é o autor do seu riso,
O guarda das suas lágrimas,
Ele é aquele que você deve temer
Acima de tudo o mais.
Ele é o doador do reino
Comprado para você desde o início,
E ele, acima de tudo o mais,
Pede o seu coração.

Tanto para falar
E tão pouco tempo para fazê-lo.
Acima de tudo o mais,
Ame ao Senhor. *

Meus dois filhos aceitaram a Jesus por volta dos cinco anos de idade. Nós lhes havíamos ensinado as coisas de Deus, lido histórias bíblicas para eles, orado com eles diariamente e levado à igreja com regularidade, onde foram instruídos nos caminhos do Senhor. A noção de aceitar a Cristo sempre permeou a vida deles, mas nunca os obrigamos ou pedimos que tomassem uma decisão. Em vez disso, orávamos para que o que aprendiam penetrasse em seus corações e lhes despertasse o desejo

---

* Copyright 1987 por Michael e Stormie Omartian para See This House Music / ASCAP.

de ter um relacionamento íntimo com Deus. Nós queríamos que fosse uma decisão íntima, pessoal. Quando chegou o momento, cada um deles iniciou uma conversa conosco fazendo perguntas a respeito de Jesus e, finalmente, pediram para que orássemos com eles para aceitarem a Cristo como Salvador. Meu marido e eu usufruímos de uma grande paz por saber que o futuro eterno de nossos filhos está assegurado e será cheio de alegria.

Não importa a idade dos seus filhos, nunca é cedo ou tarde demais para começar a orar pela salvação deles. Disse Jesus: "Em verdade, em verdade te digo que se alguém não nascer de novo, não pode ver o reino de Deus" (Jo 3:3). E também: "Eis que estou à porta, e bato; se alguém ouvir a minha voz, e abrir a porta, entrarei em sua casa, e cearei com ele e ele comigo" (Ap 3:20).

Queremos que nossos filhos abram a porta do coração para Jesus e experimentem o reino de Deus nesta vida e na eternidade. Lembre-se, se você não orar pelo futuro eterno de seus filhos, talvez eles não tenham o futuro que você almeja.

Uma vez que nossos filhos aceitem ao Senhor, devemos continuar a orar pelo relacionamento deles com Deus. Quantas vezes já ouvimos falar de filhos que andam com Deus quando são crianças e afastam-se dele na adolescência ou na idade adulta? Queremos que nossos filhos transbordem de pleno conhecimento da sua vontade, em toda a sabedoria e entendimento espiritual e vivam de modo digno do Senhor, para o seu inteiro agrado, frutificando em toda boa obra, e crescendo no pleno conhecimento de Deus (Cl 1:9-10).

Paulo e Timóteo oraram assim pelos filhos de Deus em Colossos, e devemos repetir essa oração por nossos filhos. Há muito mais da vida do Senhor para descobrirmos e experimentarmos. Nossa oração contínua deve ser para que ele derrame do seu Espírito sobre seus filhos.

48 O PODER DOS PAIS QUE ORAM

Oração

Senhor,

Eu ponho (nome do filho (a)) diante de ti e peço que o (a) ajudes a crescer no profundo conhecimento de quem tu és. Abre seu coração e leva-o (a) ao pleno reconhecimento da verdade a teu respeito. Senhor, tu disseste em tua Palavra: "Se com a tua boca confessares a Jesus como Senhor, e em teu coração creres que Deus o ressuscitou dentre os mortos, serás salvo" (Rm 10:9). Peço que meu filho (a) tenha esse tipo de fé. Que ele (a) possa chamar-te de "meu Salvador"; ser cheio (a) do teu Espírito Santo, reconhecer-te em cada aspecto de sua vida e seguir-te em todos os seus caminhos. Ajuda-o (a) a crer que Jesus entregou a vida por ele (a) para que ele (a) pudesse ter vida eterna e abundante agora. Ajuda-o (a) a compreender a plenitude do teu perdão para que não viva em condenação e culpa.

Peço que ele (a) tenha uma vida frutífira, crescendo a cada dia no conhecimento do Senhor. Que possa sempre saber qual é a tua vontade, tenha discernimento espiritual e ande de maneira que te agrade. Tu disseste em tua Palavra que irias derramar do teu Espírito sobre a minha descendência (Is 44:3). Peço que tu derrames do teu Espírito sobre (nome do filho (a)) hoje.

Obrigado, Senhor, porque tu te importas com o futuro eterno dele (a) muito mais do que eu, e porque ele está seguro em ti. Eu peço, em nome de Jesus, que ele (a) não duvide ou se afaste do caminho que tens preparado para ele (a) todos os dias de sua vida.

Armas de guerra

De fato a vontade de meu Pai é que todo homem que vir o Filho e nele crer, tenha a vida eterna; e eu o ressuscitarei no último dia.

João 6:40

FUNDAMENTANDO O FUTURO ETERNO **49**

Isto é bom e aceitável diante de Deus, nosso Salvador, o qual deseja que todos os homens sejam salvos e cheguem ao pleno conhecimento da verdade.

1Timóteo 2:3-4

Também sabemos que o Filho de Deus é vindo, e nos tem dado entendimento para reconhecermos o verdadeiro; e estamos no verdadeiro, em seu Filho Jesus Cristo. Este é o verdadeiro Deus e a vida eterna.

1João 5:20

E o testemunho é este: que Deus nos deu a vida eterna; e esta vida está no seu Filho.

1João 5:11

E eu rogarei ao Pai, e ele vos dará outro Consolador, a fim de que esteja para sempre convosco, o Espírito da verdade, que o mundo não pode receber, porque não no vê, nem o conhece; vós o conheceis, porque ele habita convosco e estará em vós.

João 14:16-17

CAPÍTULO 6

Honrando os pais e resistindo ao espírito rebelde

Parece estranho *exigir* que alguém nos honre, não é verdade? Se é realmente honra, as pessoas não deveriam nos honrar sem ser obrigadas? Bem, talvez seja verdade em relação às demais pessoas que nos rodeiam, não em relação a nossos filhos. Eles precisam ser ensinados.

Diz a Bíblia: "Filhos, obedecei a vossos pais no Senhor, pois isso é justo. Honra a teu pai e a tua mãe (que é o primeiro mandamento com promessa), para que te vá bem, e sejas de longa vida sobre a terra" (Ef 6:1-3). Se nossos filhos desobedecem a esse mandamento do Senhor, podem ser deserdados de tudo o que Deus tem preparado para eles e, também, ter suas vidas encurtadas. A Bíblia ainda diz: "A quem amaldiçoa a seu pai ou a sua mãe, apagar-se-lhe-á a lâmpada nas mais densas trevas" (Pv 20:20).

O fato de podermos influenciar na longevidade e na qualidade de vida de nossos filhos já é mais que suficiente para orarmos por eles, discipliná-los e instruí-los. Além do mais, devemos reconhecer e resistir ao espírito de rebeldia que ameaça se insinuar em suas mentes para fazer com que não obedeçam aos mandamentos do Senhor.

A rebeldia é o orgulho em ação. O cerne da rebeldia é a vontade de fazer o que se quer sem se importar com a opinião de Deus ou das outras pessoas. Diz a Bíblia que "a rebelião é como o pecado de feitiçaria" (1Sm 15:23), porque seu fim último é a total oposição a Deus. No mesmo versículo lemos, também, que "a obstinação é como a idolatria e culto a ídolos do lar". O orgulho nos leva à rebelião, mas a obstinação é que nos mantém nela. Todo rebelde tem o ídolo da obstinação em sua vida.

Quando os filhos não honram o pai ou a mãe, em geral esse é o primeiro sinal de que os ídolos que existem em seu coração — qualquer que seja a idade dos filhos — são o orgulho e o egoísmo. É por isso que os filhos que não são ensinados a obedecer aos pais tornam-se rebeldes e dizem: "Vou fazer o que eu quiser, na hora que eu quiser".

"Ai dos filhos rebeldes, diz o Senhor, que executam planos que não procedem de mim, e fazem aliança sem a minha aprovação, para acrescentarem pecado sobre pecado!" (Is 30:1).

Identificar e destruir os ídolos do orgulho e do egoísmo por meio da oração talvez seja a solução para acabar com a rebeldia de um filho.

O contrário da rebeldia é a obediência, ou andar de acordo com a vontade de Deus. A obediência traz segurança e a certeza de que você está onde deveria estar, fazendo o que deveria fazer. A Bíblia promete que, se formos obedientes, seremos abençoados, mas, se não formos, viveremos nas trevas e seremos destruídos. Nós não queremos essa situação para nossos filhos, mas, sim, que eles andem em obediência para que tenham segurança, convicção, vida longa e paz. Um dos primeiros passos de obediência para os filhos é obedecer aos pais e honrá-los. Isso é algo que a criança precisa ser ensinada a fazer, e o ensino torna-se mais fácil quando a oração pavimenta o caminho.

Quando meu filho estava com catorze anos, ele cobriu as paredes do quarto com pôsteres dos músicos que mais admirava. O problema é que em alguns dos pôsteres tanto as roupas quanto a música representada eram ofensivas ao pai

52   O poder dos pais que oram

dele e a mim, e não glorificavam a Deus. Quando pedimos a Christopher para tirá-los da parede e explicamos o motivo, ele reclamou, mas em seguida, meio recalcitrante, nos obedeceu. Pouco tempo depois, no entanto, ele os substituiu por outros igualmente ruins. Nós o confrontamos de novo, tomamos as medidas disciplinares adequadas e, desta vez, *nós* retiramos *todos* da parede.

Christopher ficou triste e percebemos que estávamos lidando com as primeiras manifestações de um espírito rebelde. Assim, resolvemos agir como a Bíblia ordena: "Revesti-vos de toda a armadura de Deus, para poderdes ficar firmes contra as ciladas do diabo" (Ef 6:11). Oramos, fizemos uso da Palavra de Deus e professamos nossa fé na capacidade de o Senhor nos tornar vencedores. Lutamos no Espírito e vimos a paz de Deus controlar a situação. A atitude de nosso filho mudou, e os novos pôsteres que ele colocou na parede estavam de acordo com as nossas determinações. Isso foi resultado do poder de Deus agindo por intermédio de pais que oram.

Agora o caso dos pôsteres parece um problema menor, mas na época nós estávamos lidando com uma vontade forte que pretendia se exaltar acima dos pais e de Deus. Mas, ao resistir àquela demonstração de rebeldia, nós conseguimos detê-la antes que se tornasse maior. Estávamos determinados a vencer a batalha porque sabíamos que tínhamos Deus e sua Palavra do nosso lado, e porque, para nosso filho, algo eterno se encontrava em jogo.

Caso seu filho seja mais velho, adolescente ou mesmo adulto, e a rebeldia já esteja claramente manifestada em seu comportamento, a disciplina e o ensino podem ser mais difíceis, porém você ainda conta com o poder da oração. Lembre-se, sua batalha não é contra seu filho ou sua filha. "Porque a nossa luta não é contra o sangue e a carne, e, sim, contra os principados e potestades, contra os dominadores deste mundo tenebroso, contra as forças espirituais do mal, nas regiões celestes" (Ef 6:12). Nossa luta é contra o inimigo. A boa nova é que Jesus deu a você autoridade "sobre todo o poder do inimigo" (Lc 10:19). Não tenha medo de tirar vantagem dessa promessa.

A rebeldia surgirá em seu filho em algum momento. Esteja preparado para entrentar o desafio com oração e com a Palavra de Deus, simultaneamente com correção, disciplina e ensino. Não se deixe intimidar por um espírito rebelde: ele também está sob o domínio de Jesus.

Oração

Senhor,

Peço que tu dês a (nome do filho (a)) um coração desejoso de te obedecer, o anseio de gastar tempo contigo, lendo a tua Palavra, orando e ouvindo a tua voz. Que a tua luz ilumine qualquer sentimento de rebelião secreto ou disfarçado que esteja se enraizando no coração dele (a), para que possa ser identificado e destruído. Senhor, eu peço que ele (a) não se entregue ao orgulho, ao egoísmo e à rebeldia, mas que seja liberto (a) deles. Pela autoridade que tu me concedes em nome de Jesus, eu "resisto às artimanhas do diabo", à idolatria, à rebeldia, à obstinação e ao desrespeito. Eles não terão influência na vida dos meus filhos, nem meus filhos trilharão o caminho da destruição e da morte por causa deles.

A tua Palavra instrui: "Filhos, em tudo obedecei a vossos pais; pois fazê-lo é grato diante do Senhor" (Cl 3:20). Peço que tu que tu inclines o coração deste filho (a) para seus pais, e o (a) capacites a honrar pai e mãe para que tenha uma vida longa e feliz. Inclina o coração dele (a) para ti, para que tudo o que faça seja agradável aos teus olhos. Que ele (a) aprenda a identificar e confrontar o orgulho e a rebeldia em si mesmo (a) e esteja disposto (a) a confessar e se arrepender. Que ele (a) não se sinta bem com o pecado. Ajuda-o (a)

a conhecer a beleza e a simplicidade de andar com um espírito man-
so e humilde em obediência e submissão a ti.

Armas de guerra

Se quiserdes, e me ouvirdes, comereis o melhor desta terra.
Mas se recusardes, e fordes rebeldes, sereis devorados à espada;
porque a boca do SENHOR o disse.

Isaías 1:19-20

Os que se assentaram nas trevas e nas sombras da morte, presos de aflição e em ferros, por se terem rebelado contra a palavra de Deus, e haverem desprezado o conselho do Altíssimo,
de modo que lhes abateu com trabalhos o coração — caíram e
não houve quem os socorresse.

Salmos 107:10-12

Os olhos de quem zomba do pai, ou de quem despreza a obediência a sua mãe, corvos no ribeiro os arrancarão e pelos pin-
tãos da águia serão comidos.

Provérbios 30:17

Filho meu, ouve o ensino de teu pai, e não deixes a instrução
de tua mãe. Porque serão diadema de graça para a tua cabeça
e colares para o teu pescoço.

Provérbios 1:8-9

Ainda assim foram desobedientes, e se revoltaram contra ti...
pelo que os entregaste na mão dos seus opressores, que os an-
gustiaram.

Neemias 9:26-27

CAPÍTULO 7

Mantendo bom relacionamento familiar

Minha irmã e eu tivemos um desentendimento e ficamos sem nos falar durante dois anos. E tudo por causa de um mal-entendido. A mágoa impediu que víssemos com clareza o que se passava na vida e na personalidade de cada uma de nós. Estávamos em dois mundos diferentes, embora tivéssemos sido criadas na mesma casa e fizéssemos parte da mesma família. O episódio foi muito perturbador para mim, e não parei de orar sobre o assunto até que minha irmã e eu nos reconciliamos e nosso relacionamento foi restaurado. Creio, no entanto, que, se tivéssemos tido pais de oração, o fato não teria ocorrido.

Uma das coisas que o inimigo de nossas almas gosta de fazer é se meter no meio de relacionamentos instituídos por Deus e fazer com que eles falhem, percam a comunicação, entrem em curto-circuito, quebrem-se ou se desconectem. Quanto mais as famílias se esfacelam, mais fracos e ineficazes esses relacionamentos se tornam, e o inimigo vai assumindo o controle da vida das pessoas. E só podemos evitar que isso aconteça por intermédio da oração.

Quando você protege os relacionamentos familiares por intermédio da oração, não importa se trata-se de filhos, pais, padrastos, irmãos, irmãs, avós, tias, tios, primos, marido ou esposa, haverá menos casos de laços desfeitos ou constrangimento entre os parentes.

56   O PODER DOS PAIS QUE ORAM

Quando minha filha nasceu, o irmão estava com quatro anos e meio. Desde o início eu orei para que Christopher e Amanda fossem amigos bem próximos e fiz todo o possível para que isso acontecesse.

A amizade deles nos primeiros anos era tão sólida que as pessoas notavam e comentavam. Mas um dia Christopher entrou na adolescência e tudo mudou. De repente ele passou a ter lugares para ir, amigos para visitar e já não tinha tempo para a irmã caçula. As brincadeiras de luta com os amigos não eram bem recebidas pela menina da família. Sentindo-se rejeitada e magoada, ela revidou. Tornei-me o árbitro do problema e doía-me o coração ver o que estava acontecendo.

Um dia, porém, percebi algo importante: devido ao fato de antes o relacionamento de Amanda e Christopher ir tão bem, eu havia parado de orar. Comecei a orar de novo sobre o assunto, desejando jamais ter parado. Levou algum tempo, mas, pouco a pouco, fui observando um abrandamento na atitude de um para com o outro. Sei que se não tivesse feito nada é bem provável que haveria uma ruptura permanente entre os dois, como houve na minha família, no passado. Embora o relacionamento dos meus filhos ainda não seja como eu gostaria, está se tornando mais forte dia a dia. E pretendo continuar orando sobre esse tema enquanto eu viver.

Quantos relacionamentos familiares são deixados ao acaso porque ninguém ora por eles? Imagino que um número considerável. É triste ver famílias se dividindo e seus membros sem qualquer laço de amizade quando se tornam adultos. Corta o coração pensar que isso pode ocorrer com nossos próprios filhos. E, no entanto, não é necessário que seja assim.

Em Isaías 58, Deus nos revela as coisas maravilhosas que acontecem quando oramos e jejuamos: "Os teus filhos edificarão as antigas ruínas; e serás chamado reparador de brechas" (Is 58:12). É vontade de Deus que restauremos a unidade para manter os laços de família no Senhor e deixar uma herança espiritual de solidariedade que pode permanecer por gerações.

Lemos também na Bíblia: "Tende o mesmo sentimento uns para com os outros; em lugar de serdes orgulhosos, condescendei com o que é humilde: não sejais sábios aos vossos próprios olhos" (Rm 12:16). Devemos orar por humildade e unidade.

Disse Jesus: "Bem-aventurados os pacificadores, porque serão chamados filhos de Deus" (Mt 5:9). Eu digo, sejamos pacificadores.

É óbvio que não existem muitos de nós no mundo. "Assim, pois, seguimos as cousas da paz e também as da edificação de uns para com os outros" (Rm 14:19). Vamos começar orando pelos mais próximos de nós — nossos filhos — e, a partir daí, estender nosso raio de ação.

Oração

Senhor,

Peço por (nome do filho (a)) e por seu relacionamento com todos os membros da família. Protege-os e preserva-os de qualquer brecha permanente ou não resolvida. Enche o coração dele (a) com o teu amor e dá-lhe tanta abundância de compaixão e espírito perdoador que transborde para toda a família. Peço, especificamente, por um relacionamento íntimo, feliz, amoroso e completo entre (nome do filho (a)) e (nome do membro da família) durante todos os dias de suas vidas. Que haja sempre boa comunicação entre eles, e que a falta de perdão não se enraíze em seus corações. Ajuda-os a amar, valorizar, apreciar e respeitar um ao outro para que o laço instituído por Deus não seja desfeito. Peço, de acordo com a tua Palavra, que eles se amem cordialmente um ao outro com amor fraternal, preferindo-se em honra um ao outro (Rm 12:10).

58   O PODER DOS PAIS QUE ORAM

Ensina meu filho (a) a resolver os mal-entendidos de acordo com a tua Palavra. E se já existe alguma divisão, algum relacionamento tenso ou desfeito, Senhor, que tu arranques a cunha da divisão e traga restauração. Peço que não haja tensão, brecha, mal-entendido, discussão, briga ou quebra de laços. Dá-lhe um coração perdoador e conciliador.

A tua Palavra nos ensina: "Sede todos de igual ânimo, compadecidos, fraternalmente amigo, misericordiosos, humildes" (1Pe 3:8). Ajuda-o (a) a viver de acordo, esforçando-se diligentemente por preservar a unidade do Espírito no vínculo da paz (Ef 4:3). Que tu derrames dentro dele (a) amor ardente e compaixão sem fim, como a corda que não pode ser partida, por todos os membros da família. Eu oro em nome de Jesus.

Armas de guerra

Bem-aventurados os pacificadores, porque serão chamados filhos de Deus.

Mateus 5:9

Oh! Como é bom e agradável viverem unidos os irmãos!

Salmos 133:1

Ora, o Deus de paciência e consolação vos conceda o mesmo sentir de uns para com os outros, segundo Cristo Jesus, para que concordemente e a uma voz glorifiqueis ao Deus e Pai de nosso Senhor Jesus Cristo.

Romanos 15:5-6

Se possível, quanto depender de vós, tende paz com todos os homens.

Romanos 12:18

Rogo-vos, irmãos, pelo nome de nosso Senhor Jesus Cristo, que faleis todos a mesma cousa, e que não haja entre vós divisões, antes sejais inteiramente unidos na mesma disposição mental e no mesmo parecer.

1Coríntios 1:10

CAPÍTULO 8

Atraindo amigos piedosos e bons exemplos

Eu costumo orar pelos amigos dos meus filhos, e quase todos têm-se mostrado excelentes pessoas. Uma vez ou outra meus filhos se tornaram amigos de algumas pessoas contra as quais eu, como mãe, tinha restrições, mas não porque não gostasse delas. Na verdade, em todos os casos, eu gostava muito delas, mas não apreciava o tipo de influência que exerciam sobre meu filho nem o resultado que a amizade entre eles produzia. Para resolver a situação, eu orava. Orava para que aquela criança fosse transformada ou fosse tirada da vida do meu filho. Em todos os casos minha oração foi respondida e, em vários deles, como ficou demonstrado com o passar do tempo, minhas apreensões mostraram-se fundamentadas. As crianças que despertaram minha preocupação tornaram-se cheias de problemas.

Os pais, com frequência, sentem uma preocupação visceral em relação aos amigos dos filhos. Quando isso acontecer, peça a Deus que a inspiração do Espírito Santo dê a você discernimento, e ore em conformidade com ele.

Um dos meus períodos de intercessão mais ardentes em relação aos amigos dos meus filhos aconteceu quando nos mudamos da Califórnia para o Tennessee. Nós nos mudamos exatamente quando meu filho ia começar o último ano do primeiro grau e a minha filha, o sétimo — as duas piores épocas para transferência de escola. Normalmente eu não trocaria as crianças de colégio, mas nesse caso meu marido e eu sentimos uma clara orientação do Senhor para nos mudarmos. Sabendo das dificuldades que meus filhos enfrentariam todos os dias, nos meses anteriores e depois da mudança, eu pedia: "Senhor, ajuda meus filhos a encontrarem amigos cristãos. Sei que *tu* nos trouxeste para cá, e que não deixarás meus filhos abandonados. Minha preocupação é que, ansiando por ser aceitos, eles façam amizade com crianças que não tenham padrões morais tão altos como os teus. Coloca exemplos cristãos na vida deles".

Os primeiros seis meses foram muito solitários para Christopher e Amanda, e muitas vezes passei a noite acordada orando por eles. Não havia mais nada que eu pudesse fazer. Não era possível intervir e reuni-los com bons amigos como eu fazia quando eram mais jovens. E, mesmo que eu tivesse tomado alguma atitude, nunca teria feito um trabalho tão bom como o que Deus realizou em resposta as minhas orações. Eles acabaram fazendo amizades com pessoas que se tornaram os melhores amigos que já haviam tido. Não foi por mera coincidência ou um final feliz de conto de fadas e, sim, o resultado da oração intercessória, o clamor a Deus, pedindo: "Senhor, ajuda meus filhos a atraírem amigos cristãos e bons exemplos".

A Palavra de Deus nos instrui claramente: "Não vos ponhais em jugo desigual com os incrédulos, porquanto que sociedade pode haver entre a justiça e a iniquidade? Ou que comunhão da luz com as trevas? Que harmonia entre Cristo e o Maligno? Ou que união do crente com o incrédulo?" (2Co 6:14-15).

Isso não quer dizer que nossos filhos não possam ter amigos incrédulos. Há uma clara implicação, no entanto, de que seus amigos mais íntimos, aqueles com os quais têm laços mais fortes, devem ser cristãos. "Andarão dois juntos, se não houver entre eles acordo?" (Am 3:3). Não, não andarão. O que significa que, se não concordarem, alguém tem de mudar. E por

62   O PODER DOS PAIS QUE ORAM

isso "O homem honesto é cauteloso em suas amizades, mas o caminho dos ímpios os leva a perder-se". (Pv12:26, NVI).

Se seu filho não tem amigos íntimos cristãos, comece a orar agora mesmo por esse objetivo. Ore para que amigos incrédulos aceitem a Cristo e para que cristãos convictos passem a ser amigos dele. Muitas vezes os pais se sentem impotentes para agir contra a má influência que certas pessoas exercem na vida dos filhos. Mas não somos impotentes. Nós temos *o poder de Deus* e a *fidelidade da sua Palavra* nos sustentando. Não espere seu filho ser desviado do caminho certo por outra pessoa. Há muitos textos na Bíblia sobre a importância dos companheiros com quem andamos, e não podemos nos manter passivos em relação ao problema.

Uma das maiores influências na vida de nossos filhos serão os amigos e os exemplos. Como deixar de orar sobre eles?

Oração

Senhor,

Eu coloco (nome do filho (a)) diante de ti, pedindo que tu ponhas amigos cristãos e bons exemplos na vida dele (a). Dá-lhe a sabedoria necessária para escolher amigos cristãos, e ajuda-o (a) a não comprometer seu andar contigo em troca de ser aceito. Dá-me o discernimento inspirado pelo Espírito Santo para que eu saiba orientá-lo (a) ou influenciá-lo (a) na escolha dos amigos. Peço que tires de sua vida as pessoas que não exercem influência cristã, ou que transformes essas pessoas a tua semelhança.

A tua Palavra diz: "Quem anda com os sábios será sábio, mas o companheiro dos insensatos se tornará mau" (Pv 13:20). Não permitas que meu filho (a) ande em companhia de insensatos. Capacita-o (a) a conviver com amigos sábios para não experimentar a destruição que pode ocorrer por ele se relacionar com pessoas insensatas. Livra-o (a) de qualquer pessoa de caráter ímpio para que não aprenda seus caminhos perversos e arme ciladas para a própria alma.

Sempre que houver tristeza pela perda de um amigo, que tu o (a) confortes e envies novos amigos com os quais ele (a) possa se ligar, compartilhar e ser a pessoa que tu queres que seja. Afasta o sentimento de solidão e de baixa autoestima que pode fazer com que ele (a) busque amizades que não glorifiquem a ti. Peço em nome de Jesus que tu lhe ensines o verdadeiro significado de amizade, como ser um (a) bom (a) amigo (a) e desenvolver relacionamentos fortes, íntimos e duradouros. Que suas amizades glorifiquem sempre a ti.

Armas de guerra

Não entres na vereda dos perversos, nem sigas pelo caminho dos maus.

Provérbios 4:14

Mas agora vos escrevo que não vos associeis com alguém que, dizendo-se irmão, for impuro, ou avarento, ou idólatra, ou maldizente, ou beberrão, ou roubador; com esse tal nem ainda comais.

1Coríntios 5:11

Teme ao SENHOR, filho meu, e ao rei, e não te associes com os revoltosos. Porque de repente se levantará a sua perdição, e a ruína que virá daqueles dois, quem a conhecerá?

Provérbios 24:21-22

Não te associes com o iracundo, nem andes com o homem colérico, para que não aprendas as suas veredas, e assim enlaces a tua alma.

Provérbios 22:24-25

Bem-aventurado o homem que não anda no conselho dos ímpios, não se detém no caminho dos pecadores, nem se assenta na roda dos escarnecedores.

Salmos 1:1

CAPÍTULO 9

Desenvolvendo interesse pelas coisas de Deus

Quando lemos os jornais a respeito de jovens que roubam, matam, destroem propriedades ou são sexualmente promíscuos, podemos ter certeza de que esses indivíduos não possuem o saudável temor de Deus, nem compreensão dos caminhos dele ou desejo pelas coisas do Senhor. Alguns desses jovens podem ser oriundos de famílias cristãs e ter aceitado a Jesus como Salvador, mas como não foram ensinados a temer a Deus e a desejar sua presença, são controlados pela carne.

Temer a Deus significa ter um comprometimento profundo de respeito, amor e reverência pela autoridade e pelo poder do Senhor. Significa ter medo do que a vida poderia ser sem ele, e ser grato porque jamais experimentaremos tal desespero, pois temos o seu amor. Significa ansiar por tudo o que Deus é e por tudo o que ele tem para nós.

Há muitas distrações no mundo que podem desviar a atenção de nossos filhos das coisas de Deus, e o diabo se acercará deles para ver se consegue atraí-los com seus planos. Se, no entanto, nós fazemos nossa parte ensinando, instruindo, disciplinando e treinando nossos filhos nos caminhos de Deus...

> *Quando lemos para eles histórias da Bíblia,*
> *Quando os ensinamos a orar e a crer que Deus é aquele que*
> *afirma ser e que cumprirá suas promessas,*
> *Quando os ajudamos a se enturmarem com amigos cristãos,*

*Quando lhes mostramos que andar com Deus traz satisfação
e alegria, e não tédio e proibições,
Quando oramos com e por eles acerca de tudo,
... então nossos filhos ansiarão pelas coisas de Deus.
E saberão que as coisas de Deus são a maior prioridade.
Eles serão controlados por Deus e não pela carne.
Almejarão os caminhos, a palavra e a presença de Deus.
Temerão a Deus e terão vida mais longa e mais feliz.
Porque "O temor do SENHOR prolonga os dias da vida, mas
os anos dos perversos serão abreviados"*

Provérbios 10:27

Quando meu marido e eu soubemos que teríamos de nos mudar da Califórnia para o Tennessee, nosso primeiro alvo de oração foi para que achássemos uma boa igreja com um excelente grupo de jovens. Nossa oração foi respondida, e esse se tornou o principal motivo pelo qual nossos filhos conseguiram se adaptar tão bem, pois foi na nova igreja e no grupo de jovens que eles encontraram amigos piedosos e continuaram a crescer no relacionamento com o Senhor. Participar de uma igreja que ensina com diligência a Palavra de Deus, que demonstra o amor dele e compartilha a alegria do Senhor com as crianças e jovens, fará uma grande diferença no auxílio que prestará para que seus filhos desenvolvam um desejo ardente pelas coisas de Deus.

Comece a orar agora mesmo para que seu filho tenha temor de Deus, possua fé nele e em sua Palavra e disponha de um coração que o busque. Esse pode ser o fator determinante para que seu filho viva em constante conflito na carne, ou viva satisfeito e abençoado no Espírito. Lembre-se: "... nada falta aos que o temem" (Sl 34:9). Nunca é cedo demais para começar a orar a esse respeito. Não espere nem mais um minuto.

Oração

Senhor,

Eu peço que (nome do filho (a)) tenha, cada vez mais, desejo de ti. Que ele (a) anseie pela tua presença, para gastar tempo contigo em oração, louvor e adoração. Dá-lhe vontade de conhecer a verdade da tua Palavra e amor por tua lei e pelos teus caminhos. Ensina-o (a) a viver pela fé, a ser dirigido (a) pelo Espírito Santo e estar sempre pronto (a) a fazer o que ordenares.

Que ele (a) tenha consciência da plenitude do teu Espírito Santo dentro de si, e, quando se sentir, de alguma maneira, vazio (a), que corra imediatamente para ti a fim de ser renovada (a) e revigorado (a).

Peço que em seu coração só haja fidelidade a ti, e que haja repulsa pela incredulidade e por tudo o que faça oposição ao Senhor. Que profunda reverência e amor por ti e pelos teus caminhos estejam patentes em seu modo de viver. Ajuda-o (a) a entender as conseqüências de seus atos e, a saber, que a vida controlada pela carne só resultará em morte. Que ele (a) não seja sábio (a) aos seus próprios olhos, mas que tema ao Senhor e aparte-se do mal (Pv 3:7).

Peço que ele (a) seja digno (a) de confiança, responsável, compassivo (a), sensível, amoroso (a) e generoso (a). Livra-o (a) do orgulho, da ociosidade, da indolência, do egoísmo e da luxúria. Rogo que ele (a) tenha um espírito dócil e submisso, e que responda "sim" às coisas de Deus e "não" às coisas da carne. Fortalece-o (a) para que permaneça firme em suas convicções.

Peço que ele (a) tenha sempre o desejo de ser um membro ativo de uma igreja cristã atenta às verdades da tua Palavra e à orientação do Espírito Santo quanto ao culto, oração e ensino. Que ele (a) aprenda a ler a tua Palavra, escrever a tua lei na mente e no coração, para que ande com firmeza e convicção na integridade dos teus mandamentos. E ao mesmo tempo em que aprenda a orar, aprenda a ouvir a tua voz. Peço que seu relacionamento contigo não se torne morno, indiferente ou superficial, mas que o fogo do

68 O PODER DOS PAIS QUE ORAM

Espírito Santo queime em seu coração e, também, a firme vontade pelas coisas de Deus.

Armas de guerra

Bem-aventurados os que têm fome e sede de justiça, porque serão fartos.

Mateus 5:6

O temor do SENHOR é fonte de vida, para evitar os laços da morte.

Provérbios 14:27

Estou crucificado com Cristo; logo, já não sou eu quem vive, mas Cristo vive em mim; e esse viver que agora tenho na carne, vivo pela fé no Filho de Deus, que me amou e a si mesmo se entregou por mim.

Gálatas 2:19-20

Bem-aventurados os que guardam as suas prescrições e o buscam de todo o coração.

Salmos 119:2

Ensina-me, SENHOR, o teu caminho e andarei na tua vereda; dispõe-me o coração para só temer o teu nome. Dar-te-ei graças, SENHOR, Deus meu, de todo o coração, e glorificarei para sempre o teu nome.

Salmos 86:11-12

CAPÍTULO 10

Sendo a pessoa que Deus criou

Conheço um homem que abriu mão de um alto salário como engenheiro de uma grande empresa para se tornar mecânico de automóveis. Ele tomou essa decisão porque preferia consertar carros a fazer qualquer outra coisa. Além de ser o melhor mecânico da cidade, era também uma pessoa feliz e realizada.

Conheço também outro homem que se recusou a aceitar o chamado de Deus para ser pastor porque desejava ser um empresário bem-sucedido. Ele acabou se divorciando e perdendo a família, sofreu com a morte do filho mais novo e dissipou a vida em tristeza e perdas. Como seria diferente se ele tivesse tido pais de oração ou outra pessoa para ajudá-lo a entender quem Deus gostaria que ele fosse!

Sem saber para que Deus nos criou, tentando ser o que *não* somos ou *desejando* ser outra pessoa, seremos levados a uma vida de sofrimento, frustração e fracasso. Vemos exemplos disso em adultos que trabalham em empregos que detestam, têm uma vida infeliz e sempre aquém de suas expectativas. E, por certo, em algum ponto da vida, esses indivíduos estarão crendo numa grande mentira: não é bom ser como sou, preciso ser outra pessoa. Talvez eles jamais tenham sido encorajados a reconhecer os talentos e a potencialidade que Deus lhes deu. Certamente não compreenderam quem Deus gostaria que fossem.

Nós nos tornamos a pessoa que Deus nos criou para ser quando pedimos a orientação dele e fazemos o que ele manda.

O profeta Jeremias não cessava de dizer ao povo de Israel o que Deus queria que ouvissem, mas o povo se recusou a escutar. Por fim, Deus falou: "Por isso assim diz o Senhor, o Deus dos Exércitos, o Deus de Israel: Eis que trarei sobre Judá, e sobre todos os moradores de Jerusalém, todo o mal que falei contra eles; pois lhes tenho falado, e não me obedeceram, clamei a eles, e não responderam" (Jr 35:17). Sofremos consequências danosas quando não atendemos a voz de Deus. Devemos orar para que nossos filhos tenham ouvidos para ouvir a voz de Deus e, assim, não lhes sucedam esse sofrimento.

Um dos planos do diabo em relação aos jovens é fazer com que se comparem a outros, julguem-se imperfeitos e busquem ser alguém que não foram criados para ser. As jovens comparam-se a outras garotas e acham que os cabelos delas são mais bonitos, as roupas mais interessantes, as casas melhores, são mais queridas, têm melhor desempenho escolar ou mais talento e beleza. Os garotos olham para outros rapazes e os acham mais altos, mais bonitões, melhores atletas, mais cheios de amigos, com mais cabelo, mais dinheiro ou mais capacidade e habilidade.

O processo diário de comparação e o resultado que está sempre abaixo da expectativa minam a verdadeira identidade de uma criança. Conheço muitos jovens que quando atingiram a adolescência já ansiavam ser uma pessoa diferente do que eram. Em vez de dar valor à pessoa que Deus criou para serem e gastar as energias procurando, torna-se o melhor possível, eles lutam e se esforçam para ser algo que não podem ser, fazendo coisas que jamais os satisfarão. Nossas orações podem bloquear esse plano do inimigo e proporcionar aos nossos filhos uma visão clara de si mesmos e do futuro.

Quando meus filhos eram pequenos eu comecei a orar para que Deus nos revelasse quais eram seus dons e talentos, e a pedir sabedoria para melhor encorajá-los, educá-los, treiná-los

SENDO A PESSOA QUE DEUS CRIOU 71

e ajudá-los a se desenvolverem para ser as pessoas que Deus queria que fossem. Ajudá-los a valorizar seu potencial e não enfatizar suas fraquezas também fazia parte do processo. No período de adolescência esse último item não era fácil e foi tópico frequente de minhas orações.

O aspecto mais importante para ajudar meus filhos a compreender quem Deus gostaria que fossem era encorajá-los em seu relacionamento com o Senhor. Eu sei que jamais vão entender quem *eles* são até que comecem a entender quem *Deus* é.

Na Bíblia Deus promete derramar o Espírito Santo sobre nossos filhos, e se refere a eles assim: "E brotarão como a erva, como salgueiros junto às correntes das águas. Um dirá: Eu sou do SENHOR; outro se chamará do nome de Jacó; o outro ainda escreverá na própria mão: Eu sou do SENHOR" (Is 44:4-5). Esses filhos vão ter identidade. Serão cheios do Espírito Santo e da convicção interior de que são do Senhor: Você verá uma expressão confiante e alegre no rosto do filho que diz com convicção: "Eu sou do Senhor".

Se você deseja essa atitude de seu filho, comece a orar sobre o assunto.

Oração

Senhor,

Peço que derrames hoje o teu Espírito sobre (nome do filho (a) e o (a) unjas para aquilo que ora tens chamado para ser e fazer. Senhor, tu disseste: "Cada um permaneça diante de Deus naquilo em que foi chamado" (1Co 7:24). Que a tua Palavra seja cumprida neste filho (a), e que ele (a) jamais se afaste do plano que tens para a vida dele (a) ou tente ser algo que não é.

Livra-o (a) de qualquer cilada do diabo para roubar-lhe a vida; afastá-lo (a) de sua singularidade e aptidão, comprometer o

72   O PODER DOS PAIS QUE ORAM

caminho que lhe preparaste ou destruir a pessoa que tu queres que
ele (a) seja. Que ele (a) não siga a mais ninguém senão a ti; e que
conduza pessoas para o teu reino. Ajuda-o (a) a crescer no pleno
conhecimento da autoridade que tem em Jesus e, ao mesmo tempo,
a guardar um espírito submisso e humilde.

Que o fruto do Espírito, que é amor, alegria, paz, longanimidade,
benignidade, bondade, fidelidade, mansidão e domínio próprio se
desenvolva nele (a) a cada dia (Gl 5:22-23). Que ele (a) encon-
tre sua identidade em ti, veja-se como teu instrumento e saiba que
se completa em ti. Dá-lhe discenimento quando estabelecer metas
para o futuro, e objetividade a respeito do que tu queres que ele (a)
faça. Ajuda-o (a) a ver a si mesmo (a) como tu o (a) vês — a partir do futuro e não do passado. Que seja convencido (a) de que teus
pensamentos para ele (a) são pensamentos de paz, e não de mal,
para lhe proporcionar perspectivas e esperança (Jr 29:11). Ensina-
o (a) a olhar para ti como sua esperança para o futuro. Que ele (a)
entenda que foi o Senhor "que nos salvou e nos chamou com santa
vocação; não segundo as nossas obras, mas conforme a sua própria
determinação e graça que nos foi dada em Cristo Jesus antes dos
tempos eternos" (2Tm 1:9). Que seu compromisso de ser a pessoa
que tu queres o (a) capacite a crescer dia a dia na confiança e na
ousadia do Espírito Santo.

Armas de guerra

Vós, porém, sois raça eleita, sacerdócio real, nação santa, povo
de propriedade exclusiva de Deus, a fim de proclamardes as
virtudes daquele que vos chamou das trevas para a sua maravilhosa luz.

1Pedro 2:9

Mas, como está escrito: Nem olhos viram, nem ouvidos ouviram, nem jamais penetrou em coração humano o que Deus tem preparado para aqueles que o amam.

1Coríntios 2:9

Por isso, irmãos, procurai, com diligência cada vez maior, confirmar a vossa vocação e eleição; porquanto, procedendo assim, não tropeçareis em tempo algum.

2Pedro 1:10

Sabemos que todas as cousas cooperam para o bem daqueles que amam a Deus, daqueles que são chamados segundo o seu propósito. Porquanto aos que de antemão conheceu, também os predestinou para serem conformes à imagem de seu Filho, a fim de que ele seja o primogênito entre muitos irmãos. E aos que predestinou, a esses também chamou; e aos que chamou, a esses também justificou; e aos que justificou, a esses, também glorificou.

Romanos 8:28-30

Dispõe-te, resplandece, porque vem a tua luz, e a glória do Senhor nasce sobre ti.

Isaías 60: 1

CAPÍTULO 11

Seguindo a verdade, rejeitando a mentira

Nossos filhos sabem que às vezes é possível negociar a punição para determinadas transgressões, mas, quando se trata de mentira, a correção será rápida, imediata, desagradável e inegociável. Consideramos a mentira um dos piores delitos, porque é o princípio de todos os atos malignos. Todo pecado ou crime tem início quando alguém acredita ou fala uma mentira. Mesmo que a mentira seja apenas o instrumento para se conseguir o que se deseja, ela abre caminho para o mal.

Desde cedo minha filha nos testava com "mentirinhas brancas", mas ela logo descobriu que o castigo por mentir superava em muito qualquer vantagem que pudesse obter com o engano. Meu filho, por outro lado, nem se preocupava em nos testar. Se era para mentir, ele já partia para uma grande mentira.

Christopher, com sete anos, estava jogando beisebol em frente à casa do amigo Steven. A bola acertou em cheio o vidro da grande janela, e a mãe do garoto veio ver o que havia acontecido.

— Quem fez isto? — indagou ela.

— Não fui eu — respondeu Steven.

— Tambem não fui eu — Christopher replicou.

— Steven, não foi você que quebrou o vidro com a bola?

— Não fui eu — Steven respondeu, enfático.

— Christopher, você quebrou o vidro da janela com a bola?

— Se a senhora me viu quebrar, fui eu. Se a senhora não me viu quebrar, não fui eu — ele retrucou, com firmeza.

— Eu não vi você quebrar.

— Então não fui eu.

Quando a mãe de Steven nos contou o ocorrido, entendemos que precisávamos tratar do assunto imediatamente para que Christopher não pensasse que poderia se safar com mentiras.

— Christopher, alguém viu tudo o que aconteceu. Você não prefere nos contar? — eu perguntei, esperando uma confissão completa e um coração arrependido.

Ele abaixou a cabeça e disse:

— Fui eu.

Tivemos uma longa conversa a respeito do que a Palavra de Deus fala sobre a mentira.

— Satanás é um mentiroso — falei. — Todo o mal que ele causa começa com uma mentira.. As pessoas mentem porque acham que a mentira vai melhorar a situação para elas, mas, na verdade, acontece o contrário, porque mentir significa que você está do lado de Satanás. Toda vez que você mente, você dá a Satanás um pedaço do seu coração. Quanto mais você rnentir, mais espaço do seu coração será ocupado por seu espírito mentiroso, até não conseguir mais parar de falar mentiras. A Bíblia diz: "Trabalhar por adquirir tesouro com língua falsa é vaidade e laço mortal" (Pv 21:6). Em outras palavras, você pode *achar* que está ganhando alguma coisa com a mentira, mas só estará trazendo morte para a sua vida. As consequências de falar a verdade têm de ser melhores do que a morte. Até o castigo que receber de seus pais por mentir será mais agradável do que os resultados da mentira, pois a Bíblia promete que "a falsa testemunha não fica impune, e o que profere mentiras não escapa" (Pv 19:5).

76   O PODER DOS PAIS QUE ORAM

Algum tempo depois do incidente, Christopher perguntou quem o havia visto naquele dia.

— Foi Deus — expliquei. — Ele viu você. Eu sempre peço que ele me revele o que preciso saber sobre você ou sua irmã. Ele é o Espírito da verdade, sabe!

— Mamãe, isto não é justo — meu filho replicou. Depois disso, no entanto, nas poucas ocasiões que ele mentiu, confessou imediatamente.

— Achei melhor lhe contar antes que Deus lhe conte — Christopher explicava.

As crianças, em algum momento, vão mentir. O problema não é *se* vão mentir, mas, sim, se passarem a acreditar que conseguirão se safar com a mentira. O modo como lidamos com a mentira é que determina a consequência. Se não ensinarmos aos nossos filhos o que Deus fala sobre o assunto, eles não terão como saber por que mentir é errado. Se não os disciplinarmos quando mentirem, vão pensar que mentir não traz consequências. Se não orarmos sobre esse problema agora, haverá problemas maiores mais tarde.

A Bíblia se refere assim ao diabo: "Vós sois do diabo, que é vosso pai, e quereis sarisfazer-lhe aos desejos. Ele foi homicida desde o princípio e jamais se firmou na verdade, porque nele não há verdade. Quando ele profere a mentira, fala do que lhe é próprio, porque é mentiroso e pai da mentira" (Jo 8:44). Quando você reflete sobre a fonte, não há como ficar tranquilo e deixar que a semente da mentira crie raízes no coração de seu filho.

Ore agora para que o espírito da mentira seja extirpado não só de seus filhos, mas de *você* também. Às vezes os pais são brandos sobre esse assunto com os filhos porque eles mesmos mentem. Precisamos rejeitar o caminho da mentira e seguir a verdade. Precisamos ser exemplo para nossos filhos. Queremos ser capazes de afirmar, como João afirmou: "Não tenho maior alegria do que esta, a de ouvir que meus filhos andam na verdade" (3Jo 4). Não queremos que nossos filhos fiquem ao lado do pai da mentira, mas que fiquem alinhados com o Pai das luzes (Tg 1:17).

Oração

Senhor,

Peço que tu enchas (nome do filho (a)) com o teu Espírito de verdade. Dá-lhe um coração que ame a verdade e a siga, rejeitando toda mentira como manifestação do inimigo. Tira dele (a) tudo o que possa alimentar o espírito de mentira e purifica-o [ou livra-o] (a) da morte que tenha se insinuado devido a mentiras proferidas ou pensadas. Ajuda-o (a) a entender que cada mentira dá ao diabo um pedaço do seu coração, e que no vazio surge confusão, morte e separação da tua presença. Livra-o (a) do espírito de mentira. Peço que ele (a) não seja cegado ou enganado, mas que seja capaz de entender a tua verdade.

Peço que ele (a) não consiga jamais se safar com mentiras — que todas as mentiras venham à luz e sejam expostas. Se mentir, que se sinta tão infeliz que a confissão e suas consequências sejam um alívio. Ajuda-me a ensinar-lhe o que significa mentir, e a discipliná-lo (a) quando testar esse princípio. A tua Palavra diz: "Quando vier, porém, o Espírito da verdade, ele vos guiará a toda a verdade" (Jo 16:13). Peço que o teu Espírito o (a) guie em toda a verdade. Que ele (a) jamais dê lugar à mentira, mas que seja uma pessoa íntegra que segue o Espírito da verdade.

Armas de guerra

Os lábios mentirosos são abomináveis ao Senhor, mas os que obram fielmente são o seu prazer.

Provérbios 12:22

78 O PODER DOS PAIS QUE ORAM

A minha alma de tristeza verte lágrimas: fortalece-me segundo a tua palavra. Afasta de mim o caminho da falsidade, e favorece-me com a tua lei.

Salmos 119:28-29

Não te desamparem a benignidade e a fidelidade; ata-as ao teu pescoço; escreve-as na tábua do teu coração. E acharás graça e boa compreensão diante de Deus e dos homens.

Provérbios 3:3-4

Ora, o aparecimento do iníquo é segundo a eficácia de Satanás, com todo poder e sinais e prodígios da mentira, e com todo engano de injustiça aos que perecem, porque não acolheram o amor da verdade para serem salvos.

2Tessalonicenses 2:9-10

Se me amais, guardareis os meus mandamentos. E eu rogarei ao Pai, e ele vos dará outro Consolador, a fim de que esteja para sempre convosco, o Espírito da verdade, que o mundo não pode receber, porque não o vê, nem o conhece; vós o conheceis, porque ele habita convosco e estará em vós.

João 14:15-17

CAPÍTULO 12

Desfrutando uma vida saudável e o poder da cura

Aos quatro anos minha filha teve um problema de visão, e o médico recomendou uma cirurgia e o uso de lentes grossas pelo resto da vida.

"Senhor, é isto que tu tens para a minha filha? Mostra-me se é, pois estou atormentada a esse respeito", orei.

Meu marido sentia o mesmo que eu, e assim oramos para que os olhos de Amanda fossem curados. Oramos também para que, se necessário, encontrássemos outro médico que resolvesse o problema. No dia seguinte, sem motivo aparente, recebi um telefonema de uma pessoa que não sabia da situação, mas conhecia um excelente especialista da clínica de olhos do Hospital da Criança de Los Angeles. Levei Amanda ao médico, e, depois de um exame minucioso, ele nos deu um diagnóstico animador: lentes de contato poderiam corrigir o caso, e ela não precisaria de cirurgia. Nós imediatamente sentimos paz quanto ao diagnóstico e entregamos nossa filha aos cuidados desse médico, sem jamais deixar de orar por sua cura.

Durante oito anos ela usou lentes de contato sob supervisão rigorosa do especialista. Nós nos cansamos de colocar as lentes nos olhos dela todas as manhãs e de tirá-las à noite, e eu fiquei exausta de tanto sair correndo para a escola toda vez que Amanda perdia uma delas no parquinho. Mas perseveramos. Então, quando ela completou doze anos, foi ao exame de rotina e o médico deu a notícia: "Você não precisa mais das lentes de contato, nem de óculos ou de cirurgia. Seus olhos estão ótimos".

Nós ficamos maravilhados e muito gratos a Deus por sua direção e sua resposta as nossas orações.

Temos orado por nossos filhos quando ficam resfriados, gripados ou se machucam, e o Senhor tem respondido sempre. Não hesitamos em levá-los aos médicos quando é necessário, lógico, porque sabemos que o Senhor cura também por intermédio deles. Mas a Bíblia diz: "Está alguém entre vós doente? Chame os presbíteros da igreja, e estes façam oração sobre ele, ungindo-o com óleo em nome do Senhor. E a oração da fé salvará o enfermo, e o Senhor o levantará" (Tg 5:14-15). O importante é orar primeiro e consultar o médico quando necessário. E, quando somos curados, não temos de questionar ou duvidar.

Depois do acidente de carro com o meu filho, que já relatei capítulos atrás, as costas e os joelhos dele ficaram muito doloridos. Nós claro, oramos imediatamente por sua cura e o fizemos passar por exames de raios-x e por outros testes no hospital. Continuamos a orar por uma cura completa, porque não queríamos que ele tivesse problemas pelo resto da vida. Quando a companhia de seguros do motorista do outro carro, que era o culpado pelo acidente, telefonou para assumir a responsabilidade, eu me senti *fortemente* impressionada por este versículo: "Porque te restaurarei a saúde, e curarei as tuas chagas, diz o Senhor" (Jr 30:17). Tive certeza de que meu filho estava curado, e que deveríamos recusar qualquer indenização. Foi como se eu escutasse Deus perguntando:

— Você quer o dinheiro ou a cura do seu filho?

— Eu quero a cura, Senhor. Muito obrigada — respondi, sem hesitar.

Não estou dizendo que é falta de fé receber seguro, não creio que seja. Mas nesse caso recusar a indenização foi a atitude certa para nós. Quando oramos por cura e Deus cura, não devemos agir como se ela não tivesse ocorrido.

A Bíblia está cheia de promessas de cura. Disse Davi: "Bendize; ó minha alma, ao SENHOR, e não te esqueças de nem um só de seus benefícios. Ele é quem perdoa todas as tuas iniquidades; quem sara todas as tuas enfermidades" (Sl 103:2-3).

Jesus deseja ser para nós, entre outras coisas importantes, a pessoa que perdoa nossos pecados e que cura nossos corpos. Vamos nos apropriar da saúde e da cura que ele tem para nossos filhos orando por elas *antes* que surja a necessidade.

Oração

Senhor,

Conforme nos tens ensinado por intermédio da tua Palavra, que devemos orar uns pelos outros para que sejamos curados, eu oro pela cura e pela integridade física de (nome do filho (a)). Peço que a doença e a enfermidade não tenham espaço nem poder em sua vida. Peço tua proteção contra qualquer mal que ataque seu corpo. A tua Palavra diz: "Enviou-lhes a sua palavra e os sarou, e os livrou do que lhes era mortal" (Sl 107:20). Peço, Senhor, que, onde houver enfermidade ou doença em seu corpo, tu toques com teu poder curador e restaures sua saúde.

Livra-o (a) de ferimentos e lesões que possam acometê-lo (a). Peço especialmente que tu cures (problema específico). Se tivermos de consultar um médico, que o Senhor nos mostre quem deve ser. Dá ao médico sabedoria e pleno conhecimento da melhor maneira de proceder.

Obrigado, Senhor, porque tu sofreste e morreste para que nós fôssemos curados. Eu clamo pela herança de cura que tu prometes em tua Palavra e providencias aos que creem. Busco em ti uma vida cheia de saúde, cura e integridade física para meu (minha) filho (a).

Armas de guerra

Mas ele foi traspassado pelas nossas transgressões, e moído pelas nossas iniquidades; e o castigo que nos traz a paz estava sobre ele, e pelas suas pisaduras fomos sarados.

Isaías 53:5

Confessai, pois, os vossos pecados uns aos outros, e orai uns pelos outros, para serdes curados. Muito pode, por sua eficácia, a súplica do justo.

Tiago 5:16

Mas para vós outros que temeis o meu nome nascerá o sol da justiça, trazendo salvação nas suas asas; saireis e saltareis como bezerros soltos da estrebaria.

Malaquias 4:2

Porquanto para isto mesmo fostes chamados, pois que também Cristo sofreu em vosso lugar, deixando-vos exemplo para seguirdes os seus passos... carregando ele mesmo em seu corpo, sobre o madeiro, os nossos pecados, para que nós, mortos aos pecados, vivamos para a justiça; por suas chagas fostes sarados.

1Pedro 2:21,24

Então romperá a tua luz como a alva, a tua cura brotará sem detença, a tua justiça irá adiante de ti, e a glória do SENHOR será a tua retaguarda.

Isaías 58:8

CAPÍTULO 13

Tendo motivação para cuidar adequadamente do corpo

Deixadas por conta própria neste mundo cheio de alimentos industrializados, as crianças serão atraídas por tudo o que existe de ruim. Quase tudo o que comemos é tão [nutricionalmente] disfarçado, processado, alterado, acrescentado e retirado que quase não tem valor nutritivo. Mas as crianças não ligam para isso. O que elas querem é comida com boa aparência, cheiro bom, sabor gostoso — e se viram anunciado na televisão, melhor ainda. Se você tem um cônjuge como o meu, que adora "porcarias" e as traz para casa para comer com as crianças, a sua situação é mais complicada. Percebi que estava encrencada no dia em que cheguei em casa e vi que meu filho de dez meses, que passara a tarde aos cuidados do pai, havia tomado coca-cola na mamadeira. Orar era minha única esperança.

Fiz o possível para que as refeições saudáveis fossem atraentes e tentei ensinar bons hábitos alimentares aos meus filhos. Estava disposta até a suportar suas críticas.

— Detesto isto. Somos as únicas pessoas na face da terra que não têm salgadinhos em casa — meu filho reclamou, extremamente aborrecido.

— Somos tão saudáveis que me dá até enjoo — resmungou minha filha com lágrimas nos olhos.

Creio que "melhor é um bocado seco, e tranquilidade, do que a casa farta de carnes, e contendas" (Pv 17:1), e por isso não fiz do problema um "bicho de sete cabeças", como gostaria. Sei que não posso obrigá-los a comer alimentos saudáveis quando não estou por perto. Só o poder de Deus por meio da oração é que pode fazer diferença.

Quase todas as pessoas lutam com algum aspecto relacionado ao cuidado adequado do corpo. Por causa dos livros que escrevi sobre saúde e dos vídeos de ginástica que gravei, tenho entrado em contato com inúmeras pessoas que batalham seriamente para solucionar esse problema — e passam por intenso sofrimento e derrota. Prestamos um desserviço aos nossos filhos se não os sustentamos em oração, orientamos e ensinamos práticas saudáveis para que não venham a sofrer.

Caso seus filhos sejam ainda pequenos, comece a orar para que se sintam atraídos por alimentos saudáveis e para que tenham vontade de se exercitar e cuidar bem de seus corpos. Se não o fizer, quando eles chegarem à adolescência, já terão desenvolvido maus hábitos, e a situação pode ficar fora de controle. As desordens alimentares se tornaram uma epidemia entre meninas adolescentes e garotas de colegial, e agora atacam, cada vez mais, os garotos. Comece a orar antes que surjam os sintomas.

Caso seus filhos sejam mais velhos, comece agora mesmo a interceder por eles. Muitas mulheres jovens que sofrem de anorexia (falta de apetite) e bulimia (aumento exagerado de apetite) lutam contra essas doenças também a nível espiritual. Elas estão ligadas a hábitos alimentares obsessivos letais e totalmente opostos ao plano de Deus para suas vidas. Conheci muitas jovens que sofrem com esses problemas. As que têm pais que aprenderam a interceder por elas puderam, mais tarde, relatar como foram bem-sucedidas. Outras, menos afortunadas, não obtiveram sucesso.

Seu filho (sua filha) precisa da orientação e da força do Espírito Santo para cuidar corretamente do próprio corpo. Suas orações podem poupar-lhe muitas derrotas, frustrações e sofrimentos.

Você não gostaria que alguém tivesse orado a seu favor a esse respeito? Eu gostaria.

Oração

Senhor,

Eu coloco (nome do filho (a)) diante de ti e peço que ponhas em seu coração a vontade de comer alimentos saudáveis. Sei que no decorrer da vida ele (a) será tentado (a) a fazer opções medíocres e a comer aquilo que traz morte e não vida. Ajuda-o (a) a entender o que faz bem e o que não faz, e dá-lhe vontade de comer o que é saudável. Que ele (a) sinta repulsa ou insatisfação por alimentos nocivos.

Peço que ele (a) seja poupado (a) de todo tipo de desordens alimentares. Pela autoridade que me foi dada em Jesus Cristo (Lc 10:19), em defesa do meu filho (a) eu digo não à anorexia, não à bulimia, não ao vício de comer, não à gula, não às dietas de fome, não a todo tipo de hábitos alimentares desequilibrados.

Senhor, lemos na tua Palavra: "E conhecereis a verdade e a verdade vos libertará" (Jo 8:32). Ajuda-o (a) a enxergar a verdade a respeito de como deve viver para que se liberte de hábitos perniciosos. Peço também que junto com a vontade de comer adequadamente, tu lhe dês motivação para fazer ginástica com regularidade, tomar bastante água e controlar e administrar o estresse em sua vida vivendo de acordo com a tua Palavra. Quando ele (a) passar por lutas em qualquer dessas áreas, que se volte para ti e peça: "Ensina-me, Senhor, o teu caminho" (Sl 27:11). Dá-lhe a visão do próprio corpo como o templo do teu Espírito Santo.

Peço que ele (a) valorize o corpo que tu lhe deste, e que se disponha a cuidar dele de maneira adequada. Que não critique; nem se examine através do microscópio da opinião ou aceitação públicas. Minha oração é para que ele (a) não seja seduzido (a) pelas revistas de moda, pela televisão ou por filmes que possam influenciá-lo (a) com a imagem que, conforme apregoam, ele (a) deveria ter. Capacita-o (a) a dizer "desvia os meus olhos para que não vejam a vaidade" (Sl 119:37).

Ajuda-o (a) a ver que o que torna uma pessoa atraente de fato é o teu Espírito Santo vivendo nela e irradiando dela. Que ele (a) venha a entender que o verdadeiro encanto começa no coração de quem ama a Deus.

Coloca no coração dele (a) hoje a tua visão de saúde e simpatia, e estimula a cada dia a vontade de cuidar do corpo de maneira adequada, porque ele é o templo do teu Espírito Santo.

Armas de guerra

Acaso não sabeis que o vosso corpo é santuário do Espírito Santo, que está em vós, o qual tendes da parte de Deus, e que não sois de vós mesmos? Porque fostes comprados por preço. Agora, pois, glorificai a Deus no vosso corpo.

1Coríntios 6:19-20

Se alguém destruir o santuário de Deus, Deus o destruirá, porque o santuário de Deus, que sois vós, é sagrado.

1Coríntios 3:17

Rogo-vos, pois, irmãos, pelas misericórdias de Deus, que apresenteis os vossos corpos por sacrifício vivo, santo e agradável a Deus, que é o vosso culto racional.

Romanos 12:1

Mas revesti-vos do Senhor Jesus Cristo, e nada disponhais para a carne, no tocante as suas concupiscêneias.

Romanos 13:14

Portanto, quer comais, quer bebais, ou façais outra cousa qualquer, fazei tudo para a glória de Deus.

1Coríntios 10:31

CAPÍTULO 14

Incutindo a vontade de aprender

A escola como meio de socialização foi uma experiência assustadora para mim, mas tirar nota "A" era fácil. Por isso, nunca me ocorreu orar para que meus filhos tivessem capacidade ou motivação para aprender, isto é, até que se tornou evidente que um deles tinha um tipo de dislexia ("incapacidade de compreender o que se lê", Aurélio). Como era uma criança esperta, inteligente e excepcionalmente bem dotada, a possibilidade de uma dificuldade de aprendizado jamais me passou pela cabeça. A escola, no entanto, foi um problema desde o início, e não entendíamos o que estava acontecendo até que, na terceira série, foi feito o diagnóstico. Embora passando por muitos momentos de grande sofrimento, a oração nos sustentou ao longo do caminho. Meu marido, eu e nossos companheiros de oração continuamos a orar para que essa criança fosse completamente curada, ou para que ficássemos em plena paz em relação ao problema e o aceitássemos como parte da maravilhosa singularidade de nosso filho.

De uma maneira ou de outra todos nós temos deficiências. E, graças a Deus, ele compensa nossas deficiências com sua força. Lemos em sua Palavra: "Não que por nós mesmos sejamos capazes de pensar alguma cousa, como se partisse de nós; pelo contrário, a nossa suficiência vem de Deus" (2Co 3:5). É uma grande verdade. Deus levou nosso filho a vencer com sucesso cada ano escolar e, durante o processo, todos

88 O PODER DOS PAIS QUE ORAM

nós aprendemos que a verdadeira sabedoria e o verdadeiro entendimento começam no Senhor e vêm do Senhor.

A Bíblia ensina que a sabedoria começa com a reverência por Deus e seus caminhos. Se aceitarmos suas palavras e guardarmos seus mandamentos no coração; se procurarmos compreender e pedirmos a ele que nos ajude, se buscarmos entendimento com o mesmo fervor com que procuraríamos o tesouro escondido, então encontraremos a sabedoria de Deus (Pv 2:1-12). E como é grande essa sabedoria! Tão grande que é um escudo que nos livra e protege do mal.

A capacidade e a vontade de aprender de uma criança não podem ser aceitas como um axioma ou algo incontestável. Quando a criança ainda se encontra no ventre, devemos pedir: "Senhor, que este filho seja perfeitamente formado com corpo e mente fortes e saudáveis, e que seja ensinado por ti para sempre".

É claro que quanto mais cedo começarmos a orar, melhor. No entanto, qualquer que seja a idade do seu filho, suas orações farão uma diferença positiva e permanente.

Oração

Senhor,

Peço que (nome do filho (a)) tenha profunda reverência por ti e pelos teus caminhos. Que ele (a) esconda a tua Palavra no coração como um tesouro e busque depois o entendimento como ouro ou prata. Dá-lhe uma boa mente, um espírito dócil e capacidade de aprender. Inculca nele (a) a vontade de obter conhecimento e habilidades, e que tudo seja feito com alegria. Peço, acima de tudo, que ele (a) seja ensinado (a) por ti, porque a tua Palavra diz que, quando nossos filhos são ensinados por ti, eles têm paz garantida. Tu também disseste: "O temor do SENHOR é o princípio do saber, mas os loucos desprezam a sabedoria e o ensino" (Pv 1:7). Que ele

(a) não seja tolo (a) e se negue a aprender, mas que se volte para ti em busca do conhecimento que precisa.

Peço que ele (a) respeite a sabedoria de seus pais, e esteja disposto (a) a ser ensinado (a) por eles. Que tenha também vontade de ser ensinado (a) pelos professores que tu colocaste em sua vida. Escolhe a cada um desses professores, Senhor. Que sejam pessoas piedosas para que ele (a) possa aprender com facilidade. Tira da vida dele (a) os professores que possam exercer influência perniciosa ou gerar uma experiência de aprendizado ruim. Que ele (a) seja estimado (a) pelos professores e tenha boa comunicação com eles. Ajuda-o (a) a se sobressair na escola e se sair bem em todos os cursos que fizer. Faze com que os caminhos do aprendizado sejam suaves e não algo com que ele (a) tenha de lutar e se esforçar. Que seu cérebro esteja bem conectado com tudo para que ele (a) tenha clareza de raciocínio, organização, boa memória e grande capacidade de aprendizado.

De acordo com a tua Palavra eu lhe digo: "Aplica o teu coração ao ensino, e os teus ouvidos às palavras ao conhecimento" (Pv 23:12). "Pondera o que acabo de dizer, porque o Senhor te dará compreensão em todas as cousas" (2Tm 2:7).

Senhor, capacita-o (a) a experimentar a alegria de aprender mais e mais a respeito de ti.

Armas de guerra

Todos os teus filhos serão ensinados do Senhor; e será grande a paz de teus filhos.

Isaías 54:13

Ouça o sábio e cresça em prudência; e o entendido adquira habilidade.

Provérbios 1:5

O meu povo está sendo destruído, porque lhe falta o conhecimento. Porque tu, sacerdote, rejeitaste o conhecimento, também eu te rejeitarei, para que não sejas sacerdote diante de mim; visto que te esqueceste da lei do teu Deus, também eu me esquecerei de teus filhos.

Oseias 4:6

Retém a instrução e não a largues; guarda-a, porque ela é a tua vida.

Provérbios 4:13

Filho meu, se aceitares as minhas palavras, e esconderes contigo os meus mandamentos, para fazeres atento à sabedoria o teu ouvido, e para inclinares o teu coração ao entendimento, e se clamares por inteligência, e por entendimento alçares a tua voz, se buscares a sabedoria como a prata, e como a tesouros escondidos a procurares, então entenderás o temor do SENHOR e acharás o conhecimento de Deus.

Provérbios 2:1-5

CAPÍTULO 15

Identificando os dons e talentos dados por Deus

Quando meus filhos nasceram, eu orei para que Deus nos revelasse os dons, talentos e habilidades que lhes havia dado, e que nos mostrasse como melhor nutri-los e desenvolvê-los para glória dele. Logo nos primeiros anos os dois demonstraram talento musical; perguntei a Deus como deveria agir e esperei por sua resposta.

Quando Christopher estava com quatro anos, recebemos orientação para que estudasse piano. Ele revelou notável habilidade, mas depois de dois anos não quis mais se exercitar no instrumento. Deus me deu uma informação clara: eu não seria um mordomo fiel dos dons que ele havia dado ao meu filho se o deixasse interromper os estudos àquela altura. Assim, imaginei o incentivo apropriado para um garoto de seis anos: daria 25 centavos toda vez que ele se exercitasse ao piano. O plano de pagamento deve ter sido inspirado pelo Espírito Santo, porque não ouvi nenhuma reclamação até que Christopher fez doze anos. Na ocasião, senti liberdade para deixá-lo interromper as aulas e começar a estudar o que desejava — bateria. Nunca precisei pedir para que praticasse bateria, muito pelo contrário!

Hoje meu filho toca teclado, bateria, baixo e violão, mas escreve todas as músicas e arranjos no piano. Seus professores comentam que ele se sai tão bem porque o estudo de piano deu-lhe base para entender música, o que vem confirmar a orientação de Deus anos atrás.

Senti a mesma orientação do Espírito Santo em relação ao talento de minha filha para o canto. O inimigo quer usar os dons de nossos filhos para a glória *dele* ou, na melhor das hipóteses, quer impedir que sejam usados segundo os planos de Deus e, por isso, devemos cercá-los de oração. Orar pelo desenvolvimento dos dons e talentos dados por Deus aos nossos filhos é um processo contínuo.

Houve um período na vida de meus filhos — entre os doze e os catorze anos — em que foram atraídos pela música profana e pela aparência e comportamento inaceitáveis de certos artistas populares.

Meu marido e eu sabíamos que nossa luta era contra o diabo, não contra nossos filhos, mas sabíamos também que tínhamos de confrontá-los sobre o assunto, e estipular regras sobre as músicas que poderiam ouvir e as que não poderiam. (Nossa opinião não é que nossos filhos não devem se envolver de modo algum com música secular. Tudo o que fizerem, seja de acordo com 1Co 10:31: "fazei tudo para a glória de Deus", porque Deus os chamou para isto.)

Oramos para que os olhos de nossos filhos fossem desviados do mundo e focalizados no que Deus havia preparado para eles, para que Deus *abrisse as portas* pelas quais tivessem de entrar, e *fechasse as portas* pelas quais não deveriam entrar. Já vimos muitas vezes a resposta dele para essa oração.

Por exemplo, Christopher foi convidado para participar de vários grupos musicais e excursionar com eles. Nunca sentimos paz em relação a esses convites, pois achávamos que não era o momento adequado. Quando ele completou dezoito anos, ofereceram-lhe a oportunidade de produzir, escrever, fazer os arranjos e tocar teclado, baixo e bateria num disco de louvor da Sparrow Records. Vimos claramente a mão do Senhor em tudo e a resposta as nossas orações no sentido de que o talento de nosso filho fosse usado para a glória de Deus. É claro que não deixamos de orar a respeito. Meu marido e eu sabemos muito bem como é o ambiente artístico e as tentações que surgem nas viagens até para artistas cristãos, e continuaremos a orar para que Christopher permaneça usando fielmente seu talento e sua vida para a glória de Deus.

Quais os dons e talentos que Deus deu ao seu filho? Toda criança os possui. Eles estão aí, quer sejam reconhecidos ou não. A Bíblia diz: "Cada um tem de Deus o seu próprio dom; um, na verdade, de um modo, outro de outro" (1Co 7:7). Às vezes só a oração nos ajuda a descobri-los.

Quando Deus lhe der um vislumbre do potencial do seu filho (a) para a grandeza, demonstre entusiasmo e interceda para que ele (a) o desenvolva. A Bíblia diz: "Vês a um homem perito na sua obra? perante reis será posto; e não entre a plebe" (Pv 22:29).

Ore para que seu filho (a) desenvolva e supere os dons e talentos que Deus lhe deu, e faça-o (a) saber que o objetivo e o significado de sua vida neste mundo não se comparam aos de ninguém.

Todo filho possui dons e talentos especiais. Devemos orar para que eles sejam identificados, revelados, desenvolvidos, fortalecidos e usados para a glória de Deus.

Oração

Senhor,

Eu te agradeço os dons e talentos que deste a (nome do filho (a)). Peço que tu os desenvolvas e uses para a tua glória. Que eles sejam manifestos a mim e a ele (a), e que o Senhor me mostre especificamente se há algum ensinamento, treinamento especial, experiência de aprendizado ou oportunidades que eu devo lhe proporcionar.

Que seus dons e talentos sejam desenvolvidos de acordo com a tua vontade, no momento adequado.

A tua Palavra diz: "Tendo, porém, diferentes dons segundo a graça que nos foi dada" (Rm 12:6). Que ele (a) reconheça os talentos e habilidades que tu lhe deste, e que nenhum sentimento de inadequação, medo ou incerteza o (a) impeça de usá-los de acordo com a tua vontade. Que ele (a) ouça o chamado que tu tens para sua vida, para que não desperdice o tempo tentando descobri-lo ou que não o perceba. Que seu talento não seja desperdiçado, diluído pela mediocridade ou utilizado para glorificar algo ou alguém que não seja o Senhor.

Peço que tu reveles a profissão que ele (a) deve exercer, e que o (a) ajudes a se destacar nela. Abençoa o trabalho de suas mãos, e que ele (a) possa ter uma boa recompensa financeira fazendo o que mais gosta e faz de melhor.

A tua Palavra diz: "O presente que o homem faz alarga-lhe o caminho e leva-o perante os grandes" (Pv 18:16). Que aquilo que ele (a) fizer seja apreciado, bem aceito e respeitado pelas outras pessoas. Mas, acima de tudo, minha oração é para que os dons e talentos que tu colocaste nele (a) sejam mais bem expressados para te glorificar.

Armas de guerra

Porque os dons e a vocação de Deus são irrevogáveis.

Romanos 11:29

E a graça foi concedida a cada um de nós, segundo a proporção do dom de Cristo.

Efésios 4:7

Servi uns aos outros, cada um conforme o dom que recebeu, como bons despenseiros da multiforme graça de Deus.

1Pedro 4:10

Toda boa dádiva e todo dom perfeito é lá do alto, descendo do Pai das luzes, em quem não pode existir variação, ou sombra de mudança.

Tiago 1:17

Sempre dou graças a [meu] Deus a vosso respeito, a propósito da sua graça, que vos foi dada em Cristo Jesus; porque em tudo fostes enriquecidos nele, em toda a palavra e em todo o conhecimento; assim como o testemunho de Cristo tem sido confirmado em vós; de maneira que não vos falte nenhum dom, aguardando vós a revelação de nosso Senhor Jesus Cristo.

1Coríntios 1:4-7

CAPÍTULO 16

Aprendendo a expressar palavras de vida

Uma tarde, depois das aulas, ouvi meu filho dizer alguns palavrões. Eu o repreendi:

— Esta maneira de falar é inaceitável! Por que você está usando estas palavras sabendo que não deve usá-las?

— Os meninos falam assim na escola — explicou ele.

— E essa maneira como os outros falam está correta? — indaguei. Em seguida, disse uma série de palavrões que eu costumava usar antes do meu encontro com o Senhor e de ser purificada pelo Espírito Santo.

Com uma expressão de horror e espanto, ele replicou:

— Mamãe!! Por que você está falando assim?

— Há pessoas que falam desta maneira. Como você se sente ao me ouvir pronunciando essas palavras?

— Eu sei. Posso falar assim sempre que quiser, mas resolvi *não* falar. Você se sente mal quando me ouve dizer essas palavras porque elas ofendem o seu espírito. Quando *você* fala deste jeito, ofende o *meu* espírito. Imagine o que acontece com o Espírito de Deus. Você tem a opção de entristecer o Espírito Santo com palavras, ou de glorificá-lo. Uma opção será bênção, a outra será ofensa.

Eu só ouvi Christopher usar de novo aquelas palavras quando era adolescente. E, mais uma vez, tivemos a mesma conversa. Oro até hoje para que ele não a esqueça.

Meu método pedagógico pode parecer chocante. Eu também fiquei chocada e pedia Deus para, me purificar da contaminação que senti ao pronunciar aquelas palavras, embora não tivessem vindo do meu coração. Foi só um meio de demonstrar como são destrutivas. Não estou recomendando que você adote meu método de ensino e, sim, que aceite minha experiência como um exemplo válido do poder daquilo que falamos.

Nós criamos um mundo particular pelo modo como nos expressamos. As palavras têm poder, e, numa determinada situação, o que nós falamos pode ser de vida ou de morte. A Bíblia ensina que o que dizemos pode nos *criar* problemas ou nos *livrar* deles. E até salvar nossas vidas. "O que guarda a boca conserva a sua alma, mas o que muito abre os lábios a si mesmo se arruina" (Pv 13:3). Devemos pedir a Deus que ponha um, guarda em nossa boca e, também, na boca de nossos filhos.

Frases vazias e que não vêm do Senhor, como: "eu não sou bom", "eu gostaria de estar morto", "a vida é péssima", "as pessoas são horríveis", "eu nunca vou ser alguém na vida", não refletem um coração cheio do Espírito Santo. Refletem a obra das trevas. E ela vai se manifestar na vida do seu filho se, você não ajudá-lo a controlar o que fala.

A Bíblia diz que, quando nos encontrarmos com o Senhor, teremos de prestar contas de todas as palavras descuidadas que tivermos pronunciado. Pagamos por elas aqui na terra também. Creio que é um preço muito alto a pagar por algo que pode ser facilmente controlado por nossa vontade. Podemos pronunciar palavras de amor, alegria e paz aqui no mundo, ou podemos pronunciar palavras de discórdia, ódio, engano e outras manifestações do mal.

Queremos que nossos filhos falem palavras de vida, o que não significa que eles não podem ser sinceros quanto aos seus sentimentos negativos. Eles devem se expressar com palavras que visem a confissão, a compreensão e a submissão a Deus para cura, não como instrumentos de destruição.

98 O PODER DOS PAIS QUE ORAM

Quando as palavras de nossos filhos se refletem de forma negativa neles mesmos, nos demais, na situação que vivenciam ou no mundo que os rodeia, devemos encorajá-los a ver na Palavra de Deus como se expressar melhor. A melhor maneira de desenvolver o vocabulário é aperfeiçoar o coração, "porque a boca fala do que está cheio o coração" (Mt 12:34).

Um coração cheio do Espírito Santo e da verdade da Palavra de Deus vai gerar uma linguagem piedosa que traz vida tanto ao que fala quanto ao que ouve. Esse deve ser o foco da nossa oração.

Oração

Senhor,

Peço que (nome do filho (a)) escolha usar uma linguagem que te glorifique. Enche seu coração com o teu Espírito e com a tua verdade para que de sua boca fluam palavras de vida e não de morte. Põe um guarda em seus lábios para que, quando vier a tentação de usar uma linguagem profana, negativa, perniciosa, desatenciosa, desagradável ou impiedosa, cutuque seu espírito para que se sinta desconfortável. Peço que ele (a) não use linguagem obscena e, caso venha a fazê-lo, que as palavras deixem um travo amargo em sua boca e sinta repulsa por elas.

Ajuda-o (a) a ouvir a si mesmo (a) para que não fale sem pensar. Guarda-o (a) para que não caia em ciladas no falar. Tu prometeste em tua Palavra que "o que guarda a sua boca e a sua língua, guarda a sua alma das angústias" (Pv 21:23). Ajuda-o (a) a pôr um guarda sobre os lábios e a se proteger da adversidade. A tua Palavra diz: "A morte e a vida estão no poder da língua; o que bem a utiliza come do seu fruto" (Pv 18:21). Que ele (a) fale palavras de vida e não de morte; que seja pronto (a) para ouvir, tardio para falar, e tudo o que disser seja temperado pela graça. Que ele (a) seja preparado (a) pelo Senhor para saber como, o que e quando falar em qualquer situação. Capacita-o (a) a falar sempre palavras de esperança, de encorajamento, de cura e de vida, e que esteja decidido (a) a não pecar com seus lábios.

Armas de guerra

As palavras dos meus lábios e o meditar do meu coração sejam agradáveis na tua presença, SENHOR, rocha minha e redentor meu!

Salmos 19:14

O homem bom tira do tesouro bom cousas boas; mas o homem mau do mau tesouro tira causas más.

Mateus 12:35

Digo-vos que de toda palavra frívola que proferirem os homens, dela darão conta no dia do juízo; porque pelas tuas palavras serás justificado, e pelas tuas palavras serás condenado.

Mateus 12:36-37

Palavras agradáveis são como favo de mel, doces para a alma, e medicina para o corpo.

Provérbios 16:24

Alguém há cuja tagarelice é como pontas de espada, mas a língua dos sábios é medicina.

Provérbios 12:18

CAPÍTULO 17

Permanecendo interessado na vida de pureza e santidade

Os filhos que são ensinados a viver em santidade e pureza exibem rostos luminosos e exalam uma simpatia irresistível. A Bíblia diz: "Até a criança se dá a conhecer pelas suas ações, se o que faz é puro e reto" (Pv 20:11). Queremos que nossos filhos sejam conhecidos por sua bondade, e que sejam simpáticos por sua pureza. Mas essas coisas não acontecem por acaso. Devem ser ensinadas. E, embora possamos nos esforçar ao máximo para ensiná-los a viver em pureza nos caminhos do Senhor e dar o exemplo, o verdadeiro mestre é o Espírito Santo. O amor por ele é o início da santidade. "Conserva-te a ti mesmo puro" (1Tm 5:22), ensina-nos a Bíblia. É uma tarefa difícil para qualquer um, principalmente para uma criança, e só pode ser realizada com total submissão a Deus e a seus mandamentos, e capacitação poderosa do Espírito Santo.

Meu filho começou o último ano do segundo grau numa escola nova em outro Estado, onde a cultura era diferente — missão árdua para qualquer jovem mesmo bem estruturado e piedoso. Era um pequeno colégio cristão particular, e logo na primeira semana ele ficou conhecendo todos os colegas. Um deles, no entanto, se sobressaiu. Seu nome era Sandy, um astro do esporte, excelente aluno e já havia recebido vários prêmios por seu desempenho. Mas ele era especial em um aspecto mais importante: suas palavras e atos refletiam um profundo respeito por Deus e seus mandamentos.

Certo dia, durante o almoço, um dos rapazes contou uma piada grosseira e todos riram. Todos, exceto Sandy. Meu filho confessou que também riu.

"Eu era o recém-chegado e não queria que eles pensassem que tinha vindo de outro planeta", Christopher comentou, envergonhado, quando mais tarde nos relatou o incidente.

Em pouco tempo ele percebeu que Sandy não ria de piadas obscenas. Não fumava, não bebia nem falava palavrões e, por incrível que possa parecer, todos o respeitavam e gostavam dele.

Houve uma reunião de pais no colégio e contei a Christopher que havia conhecido uma senhora muito simpática.

— Ela se sobressai — comentei. — É sensível, animada, uma mulher piedosa e com um incrível senso de humor. Fez que eu me sentisse bem à vontade, como se nos conhecêssemos a vida inteira.

À medida que fui descrevendo a pessoa, mencionei seu nome.

— É a mãe de Sandy — meu filho a reconheceu.

— Mas é claro! Eu já devia saber que Sandy tem pais excepionais, firmes, crentes, pais de oração. Nenhum filho é assim por acaso.

No decorrer do ano nós observamos aquela família e vimos como cada um de seus membros era extraordinário. Notamos também que as pessoas não se afastavam por causa de suas virtudes. Por quê? Porque sua maneira de viver não era uma tentativa legalista para serem perfeitos ou para impressionar as outras pessoas. Era a expressão de corações impregnados de reverência por Deus e do desejo de viver de acordo com sua vontade — em santidade e pureza.

Meu filho já não frequenta aquela escola e não nos encontramos mais com Sandy e sua família, porque nossas vidas tomaram rumos diferentes, mas jamais os esquecerei. Eles elevaram nossos padrões pessoais, nos mostraram um objetivo mais alto para almejar e nos fizeram ver como a santidade é atraente.

Vamos orar para que nossos filhos se sintam atraídos pela santidade e pureza como um ímã, e para que, quando algo que não seja santo ou puro tentar engodá-los, eles percebam imediatamente e se sintam tão pouco à vontade que o rejeitem com determinação. "Porquanto Deus não nos chamou para a impureza, e, sim, em santificação" (1Ts 4:7). Viver em pureza dentro dos limites da lei de Deus significa plena integridade pessoal. Integridade é santidade. Os filhos que anseiam por santidade e buscam o poder capacitador de Deus para ajudá-los a alcançá-la serão abençoados e realizados.

Sandy foi o exemplo vivo da Palavra de Deus, que diz: "Ninguém despreze a tua mocidade; pelo contrário, torna-te padrão dos fiéis, na palavra, no procedimento, no amor, na fé, na pureza" (lTm 4:12). Não há nada mais gratificante do que filhos que andam em santidade e pureza. Vamos orar para que nossos filhos façam parte desse grupo.

Oração

Senhor,

Peço que tu enchas (nome do filho (a)) com um tão grande amor por ti que ultrapasse seu amor por qualquer coisa ou qualquer pessoa. Ajuda-o (a) a guardar e reverenciar os teus mandamentos e a entender que são para benefício dele (a). Que ele (a) possa ver com clareza que quando teus mandamentos são desobedecidos, a vida não funciona. Esconde a tua Palavra em seu coração para que não se sinta atraído (a) pelo pecado. Peço que ele (a) fuja do mal, da impureza, de pensamentos, palavras e atos pecaminosos, e que seja impulsionado (a) para o que é puro e santo. Que ele (a) seja moldado (a) à semelhança de Cristo, e que busque o poder do teu Espírito Santo para capacitá-lo (a) a agir de maneira correta.

Tu disseste: "Bem-aventurados os limpos de coração, porque verão a Deus" (Mt 5:8). Que o desejo de santidade que brota de um coração puro possa se refletir em tudo o que ele (a) fizer e, também, se manifestar na aparência dele (a). Peço que suas roupas, seu cabelo, joias e bijuterias reflitam a reverência e a vontade de te glorificar, Senhor.

Caso ele (a) se desvie da trilha da santidade, que tu o (a) tragas ao arrependimento e operes com teu poder purificador em seu coração e em sua vida.

Faze-o (a) entender que o viver em pureza propicia integridade e bênção, e que a maior recompensa que podemos obter é ver o Senhor.

Armas de guerra

Quem subirá ao monte do SENHOR? Quem há de permanecer no seu santo lugar? O que é limpo de mãos e puro de coração, que não entrega a sua alma à falsidade, nem jura dolosamente. Este obrerá do SENHOR a bênção, e a justiça do Deus da sua salvação.

Salmos 24:3-5

Ora, numa grande casa não há somente utensílios de ouro e de prata; há também de madeira e de barro. Alguns, para honra; outros, porém, para desonra. Assim, pois, se alguém a si mesmo se purificar destes erros, será utensílio para honra, santificado e útil ao seu possuidor, estando preparado para toda boa obra.

2Timóteo 2:20-21

Todo ramo que, estando em mim, não der fruto, ele o corta; e todo o que dá fruto, limpa, para que produza mais fruto ainda.

João 15:2

104 O PODER DOS PAIS QUE ORAM

E ali haverá bom caminho, caminho que se chamará o Caminho Santo; o imundo não passará por ele, será somente para o seu povo; quem quer que por ele caminhe não errará, nem mesmo o louco. Ali não haverá leão, animal feroz não passará por ele, nem se achará nele; mas os remidos andarão por ele. Os resgatados do SENHOR voltarão, e virão a Sião com cânticos de júbilo; alegria eterna coroará as suas cabeças; gozo e alegria alcançarão, e deles fugirá a tristeza e o gemido.

Isaías 35:8-10

Há daqueles que são puros aos seus próprios olhos, e que jamais foram lavados da sua imundícia.

Provérbios 30:12

CAPÍTULO 18

Orando no quarto do filho

Por volta dos onze anos meu filho começou a ter pesadelos sem motivo aparente. Ele não assistia a filmes de terror nem dava mostras de que algo anormal tivesse ocorrido. Oramos juntos diversas vezes, mas os sonhos ruins persistiam noite após noite.

Certa manhã, enquanto orava sobre esse problema, pedi que Deus me mostrasse a causa daqueles pesadelos, e senti-me impelida a ir até o quarto do meu filho.

"Senhor, se há alguma coisa no quarto de Christopher que não deva estar aqui, mostra-me", orei.

Imediatamente senti-me direcionada a ir até o computador e olhar as caixas dos seus jogos. A primeira que peguei foi a que ele havia tomado emprestada de um amigo da igreja. A caixa parecia inofensiva: era um jogo de ação e aventuras de garoto. Abri a caixa e peguei o livreto de instruções. Nas primeiras páginas não vi nada de diferente, mas nas páginas finais descobri o pior tipo de lixo satânico. Fiquei espantada, agradeci a Deus e tirei o jogo dali na mesma hora.

Se aquele jogo pertencesse a meu filho, eu o teria destruído em seguida, mas como pertencia a outra pessoa, telefonei para os pais do menino e contei o que havia encontrado. Eles se espantaram tanto quanto eu. Quando Christopher chegou da escola mostrei-lhe minha descoberta. Ele contou que não havia chegado tão longe, e que não sabia o que havia no jogo. Sem hesitar, devolveu-o ao amigo.

106 O PODER DOS PAIS QUE ORAM

À noite, quando meu marido voltou do trabalho, nós ungimos o quarto do nosso filho com óleo e oramos por todo o aposento. A Bíblia diz "o jugo será despedaçado por causa da unção" (Is 10:27, RC). Embora a maioria dos exemplos bíblicos mostre pessoas sendo ungidas, há também exemplos de prédios ou aposentos sendo ungidos para se tornarem santificados. "E tomarás o óleo da unção, e ungirás o tabernáculo, e tudo o que nele está, e o consagrarás com todos os seus pertences: e será santo" (Êx 40:9).

Nós queríamos quebrar o jugo do inimigo e livrar o quarto do nosso filho de tudo o que fosse profano, então oramos convidando o Espírito Santo para habitar ali e expulsar tudo o que não viesse de Deus.

Cremos que agimos corretamente, pois os pesadelos de Christopher pararam tão rápido como começaram.

Penso que as casas precisam de uma faxina espiritual de vez em quando, principalmente nos quartos onde nossos filhos dormem e brincam. A Bíblia diz que, se levarmos coisas abomináveis para nossas casas, a destruição irá junto. Se seu filho anda com medo, rebelde, zangado, deprimido, alheio, estranho, indisciplinado, tendo pesadelos ou sonhos ruins, às vezes o simples fato de orar por ele pode mudar as coisas rapidamente. Cantar músicas cristãs, hinos e coros de louvor também pode ser eficaz. Já vi uma transformação no espírito de meus filhos depois que agi assim.

Ore por seu filho e tire do quarto tudo o que não glorifique a Deus: pôsteres, livros, revistas, quadros, fotos, jogos e roupas com estampas referentes a uso de drogas, álcool ou qualquer tipo de blasfêmia. É evidente que será preciso explicar a seu filho, com amor, o que a Palavra de Deus diz sobre isso e, se possível, ele deve ser encorajado a tirar os objetos ofensivos. Explique que, para que tenha paz e seja abençoado, ele deve retirar do quarto tudo o que não seja do Senhor. Depois, ore

ORANDO NO QUARTO DO FILHO **107**

com ele. Eu já vi transformações miraculosas resultantes dessa atitude.

Não se trata de um pequeno ritual supersticioso, mas de um clamor poderoso sobre o seu lar, o seu filho e todos os aspectos da vida dele em direção a Deus. É se colocar de pé e proclamar: "Eu e a minha casa serviremos ao SENHOR" (Js 24:15). É declarar: "Meu lar é santificado e separado para a glória de Deus.".

Vamos começar nossa faxina espiritual orando por nossos filhos bem antes que a necessidade surja.

Oração

Senhor,

Eu convido o Espírito Santo a habitar neste quarto que pertence a (nome do filho (a)). Tu és Senhor no céu e na terra, e eu declaro que tu és Senhor deste quarto também. Inunda-o com a tua luz e com a tua vida. Retira as trevas que procuram dominar este lugar e não permitas que o medo, a depressão, a ira, a dúvida, a ansiedade, a rebelião ou o ódio (mencione tudo o que você viu manifestado no comportamento do seu filho) encontrem espaço neste quarto. Peço que não entre nada aqui que não seja trazido por ti, Senhor. Se houver alguma coisa imprópria, mostra-me para que seja retirada.

Coloca a tua total proteção sobre este aposento para que o mal não consiga aqui penetrar. Enche este quarto com o teu amor, a tua paz e a tua alegria. Eu peço que meu filho possa dizer como Davi: "Atentarei sabiamente ao caminho da perfeição; oh! quando virás ter comigo? Portas a dentro, em minha casa, terei coração sincero. Não porei cousa injusta diante dos meus olhos; aborreço o proceder dos que se desviam; nada disto se me pegará" (Sl 101:2-3).

Peço, Senhor, que tu faças deste quarto um lugar santo e santificado para a tua glória.

108 O PODER DOS PAIS QUE ORAM

Armas de guerra

Não meterás, pois, causa abominável em tua casa, para que não sejas amaldiçoado, semelhante a ela.

Deuteronômio 7:26

Lavai-vos, purificai-vos, tirai a maldade de vossos atos de diante dos meus olhos: cessai de fazer o mal.

Isaías 1:16

Tendo, pois, ó amados, tais promessas, purifiquemo-nos de toda impureza, tanto da carne, como do espírito, aperfeiçoando a nossa santidade no temor de Deus.

2Coríntios 7:1

Compadece-te de mim, ó Deus, segundo a tua benignidade; e, segundo a multidão das tuas misericórdias, apaga as minhas transgressões. Lava-me completamente da minha iniquidade, e purifica-me do meu pecado.

Salmos 51:1-2

A maldição do SENHOR habita na casa do perverso, porém a morada dos justos ele abençoa.

Provérbios 3:33

CAPÍTULO 19

Desfrutando da libertação do medo

A sensação de medo era normal para mim quando criança porque eu morava com minha mãe, uma pessoa mentalmente doente. Seu comportamento estranho, instável e ofensivo era uma constante fonte de pavor. Quando, já adulta, eu conheci o Senhor, aprendi a identificar a *verdadeira* fonte do medo e a lutar contra ela. Tenho empregado as mesmas táticas em benefício dos meus filhos.

Em Los Angeles nós vivíamos em meio a terremotos, incêndios, inundações, tumultos e crime desenfreado. Se tivéssemos permitido, o medo teria controlado nossas vidas. Pedir proteção e libertação do medo tornou-se uma constante em nossas orações. Sempre que percebia o medo se apossando de qualquer um dos meus filhos, eu orava, lia a Bíblia, cantava hinos e coros de louvor e tocava música evangélica. Desde que nos mudamos daquela região, não tivemos mais de lidar diariamente com o medo, porém as lições que aprendemos sobre o perfeito amor de Deus que lança fora todo o medo ficaram gravadas para sempre em nossos corações.

O medo é algo que se apossa de nós no instante em que deixamos de crer que Deus é capaz de guardar em segurança a nós e aos nossos queridos. Ele atinge as crianças porque elas não conseguem discernir o que é real e o que não é. Nosso amor, nossa tentativa de confortá-las e tranquilizá-las pode *ajudar*, mas orar e proclamar a Palavra de Deus com fé e louvá-lo por seu poder e amor é que poderá libertá-las.

110 O PODER DOS PAIS QUE ORAM

Quando Jesus se encontrava no mar com os discípulos e veio a tempestade, a reação dele ao medo que demonstraram foi dizer: "Por que sois tímidos, homens de pequena fé?" (Mt 8:26). Ele deseja que nós, como eles, acreditemos que nosso barco não vai afundar se ele estiver conosco.

Há momentos, no entanto, em que o medo é mais do que uma emoção passageira. Ele pode apertar o coração de uma criança com tanta força e de maneira tão incompreensível que nem atos nem palavras conseguem afastá-lo. Quando isso acontece, a criança está sendo atormentada por um espírito do medo. A Bíblia nos diz claramente que o espírito do medo não vem de Deus, mas do inimigo das nossas almas.

Os pais têm autoridade e poder por meio de Jesus Cristo para resistir ao espírito do medo em favor dos seus filhos. O *medo* não tem poder sobre *eles*. *Nós* é que temos poder sobre *ele*. Jesus nos deu autoridade sobre *todo* o poder do inimigo (Lc 10:19). Não seja enganado e levado a pensar diferente. Se o medo persistir depois que você tiver orado, peça a dois ou mais cristãos fiéis que orem com você. Onde dois ou três estiverem reunidos em nome do Senhor, ele estará no meio deles (Mt 18:20). O medo e a presença do Senhor não podem ocupar o mesmo espaço.

Porque temos Jesus, nós e nossos filhos jamais seremos obrigados a viver com o espírito do medo ou aceitá-lo como parte de nossa vida.

Oração

Senhor,

A tua Palavra diz: "Busquei o Senhor e ele me acolheu; livrou-me de todos os meus temores" (Sl 34:4). Eu te busco hoje crendo que tu me ouves, e peço que libertes (nome do filho (a)) do medo que ameaça subjugá-lo (a). Tu disseste que "não nos tens dado "espírito de covardia, mas de poder, de amor e de moderação" (2Tm 1:7). Inunda-o (a) com teu amor e elimina todo medo e dúvida. Faze-o (a) sentir

DESFRUTANDO DA LIBERTAÇÃO DO MEDO 111

tua presença amorosa que em muito excede qualquer tipo de medo que esteja ameaçando atacá-lo (a). Ajuda-o (a) a confiar em teu poder de tal maneira que se estabeleça uma grande confiança e fé em ti. Dá-lhe uma mente perfeita para que ele (a) possa reconhecer e identificar qualquer evidência falsa apresentada pelo diabo, tudo o que não tenha fundamento na realidade.

Quando houver um perigo verdadeiro ou um bom motivo para ter medo, dá-lhe sabedoria, proteja-o (a) e aproxima-o (a) de ti. Ajuda-o (a) a não negar seus medos, mas a levá-los a ti em oração e buscar libertação deles. Peço que, ao se aproximar de ti, ele (a) seja inundado (a) por teu amor e liberto (a) de todo o medo. Coloca a tua Palavra em seu coração, e que a fé se enraíze em sua mente e em seu coração à medida que for crescendo no conhecimento dela.

Obrigado, Senhor, pela tua promessa de libertar-nos de todos os nossos medos. Em nome de Jesus eu peço libertação do medo para meu (minha) filho (a) hoje.

Armas de guerra

Como é grande a tua bondade, que reservaste aos que te temem, da qual usas, perante os filhos dos homens, para com os que em ti se refugiam!

Salmos 31:19

Não temas, porque eu sou contigo; não te assombres, porque eu sou o teu Deus; eu te fortaleço, e te ajudo, e te sustento com a minha destra fiel.

Isaías 41:10

Cobrir-te-á com as suas penas, sob suas asas estarás seguro: a sua verdade é pavês e escudo. Não te assustarás do terror noturno, nem da seta que voa de dia, nem da peste que se propaga nas trevas, nem da mortandade que assola ao meio-dia.

Salmos 91:4-6

O Senhor é a minha luz e a minha salvação; de quem terei medo? O Senhor é a fortaleza da minha vida; a quem temerei?

Salmos 27:1

Laços de morte me cercaram, torrentes de impiedade me impuseram terror. Cadeias infernais me cingiram, e tramas de morte me surpreenderam. Na minha angústia invoquei o Senhor, gritei por socorro ao meu Deus. Ele do seu templo ouviu a minha voz, e o meu clamor lhe penetrou os ouvidos.

Salmos 18:4-6

No amor não existe medo; antes, o perfeito amor lança fora o medo. Ora, o medo produz tormento; logo, aquele que teme não é aperfeiçoado no amor.

1João 4:18

CAPÍTULO 20

Adquirindo a mente equilibrada

O mundo e o diabo estão empregando todos os esforços para controlar a mente do seu filho. A boa notícia é que você tem autoridade para resistir a eles. Se seu filho é pequeno, você tem autoridade sobre o que ele põe *em* sua mente — televisão, filmes e vídeos que assiste, programas de rádio, fitas e CDs que ouve, livros e revistas que lê. Você também pode fazer muito para ajudar seu filho a preencher a mente com músicas cristãs, palavras e quadros não perniciosos. E, o mais importante de tudo, você tem o poder de orar. Portanto, mesmo que seu filho esteja fora do âmbito de sua influência diária, você pode orar para que sua mente seja sadia, protegida e liberta.

Uma das maravilhas de aceitar a Jesus e ser cheio do Espírito Santo é que, juntamente com outras bênçãos, ganhamos estabilidade e saúde mental que não podem ser adquiridas de outra maneira. Não podemos esquecer que nos foi dada a mente de Cristo. A Bíblia diz: "Tende em vós o mesmo sentimento que houve também em Cristo Jesus" (Fp 2:5). Podemos resistir à mente profana e permitir que a mente de Jesus assuma o controle e também podemos renovar de contínuo nossas mentes levando cativo cada pensamento.

Minha mãe sofreu de problemas mentais desde os vinte e poucos até os 67 anos, quando faleceu. Experimentei na carne o que é uma pessoa viver no mundo da fantasia sem nenhum controle sobre os pensamentos que povoavam sua mente. Foi uma experiência assustadora.

114 O PODER DOS PAIS QUE ORAM

Depois que conheci o Senhor, passei a orar com frequência para que nem meus filhos nem eu herdássemos qualquer instabilidade mental. Sempre que me ocorria essa preocupação eu recitava: "Porque Deus não nos tem dado espírito de covardia, mas de poder, de amor e de moderação" (2Tm 1:7).

"Deus me deu uma *mente* de moderação", repeti muitas vezes. "Ele também deu ao meu filho e a minha filha mentes equilibradas. Não aceitarei menos do que isso."

Doenças mentais não têm de ser transmitidas de uma geração à outra, e não é vontade de Deus para nossos filhos que eles tenham desequilíbrio mental, mente confusa ou instável.

O que caracteriza a mente sadia é, em grande parte, o que entra nela. Encher nossas mentes com o que há de pernicioso no mundo gera confusão. Encher nossas mentes com as coisas de Deus — principalmente com sua Palavra — gera acuidade de pensamento e paz de espírito. A Bíblia diz: "Porque Deus não é de confusão, e, sim, de paz" (1Co 14:33).

Devemos fazer todo o possível para que nossos filhos tenham a Palavra de Deus em suas mentes para lançar fora a confusão e assegurar-lhes sanidade.

Deus nos *deu* uma *mente equilibrada*. Por que deveríamos aceitar qualquer coisa menos do que isso para nossos filhos? Peça-a a Deus.

Oração

Senhor,

Obrigado por nos prometer uma mente sadia. Solicito o cumprimento dessa promessa para (nome do filho (a)), e peço que sua mente seja clara, alerta, inteligente e tranquila. Que não seja presa de confusão, embotamento, desequilíbrio, dispersão ou pensamento negativo. Peço que sua mente não se encha de pensamentos complexos ou confusos, mas que tu lhe dês clareza de raciocínio para que consiga sempre pensar corretamente. Dá-lhe capacidade de tomar

ADQUIRINDO A MENTE EQUILIBRADA **115**

decisões certas, de entender tudo o que precisar saber e de se concentrar no que precisar fazer. Onde houver qualquer tipo de instabilidade mental, debilidade ou disfunção eu proclamo cura em nome de Jesus. Que ele (a) seja renovado (a) no espírito de seu entendimento (Ef 4:23), e que tenha a mente de Cristo (1Co 2:16).

Peço que ele (a) te ame de todo o coração, alma e mente, e que não haja lugar nele (a) para as mentiras do inimigo ou para o clamor do mundo. Que a Palavra de Deus se enraíze em seu coração e encha sua mente com o que é verdadeiro, nobre, justo, puro, amável, de boa fama, virtuoso e louvável (Fp 4:8). Faze-o (a) entender que o que entra em sua mente torna-se parte dele (a), para que pese com cuidado o que vê e ouve.

Tu disseste: "Tu, SENHOR, conservarás em perfeita paz aquele cujo propósito é firme; porque ele confia em ti" (Is 26:3). Peço para que sua fé em ti e na tua Palavra cresça dia a dia para que viva em paz e goze de sanidade mental para sempre.

Armas de guerra

E não vos conformeis com este século, mas transformai-vos pela renovação da vossa mente, para que experimenteis qual seja a boa, agradável e perfeita vontade de Deus.

Romanos 12:2

Não andeis ansiosos de cousa alguma; em tudo, porém, sejam conhecidas diante de Deus as vossas petições, pela oração e pela súplica, com ações de graça. E a paz de Deus, que excede todo o entendimento, guardará os vossos corações e as vossas mentes em Cristo Jesus.

Filipenses 4:6-7

Porque as armas da nossa milícia não são carnais, e, sim, poderosas em Deus, para destruir fortalezas, anulando sofismas e toda altivez que se levante contra o conhecimento de Deus, levando cativo todo pensamento à obediência de Cristo.

2Coríntios 10:4-5

Porque o pendor da carne dá para a morte, mas o do Espírito, para a vida e paz.

Romanos 8:6

Isto, portanto, digo e no Senhor testifico, que não mais andeis como também andam os gentios, na vaidade dos seus próprios pensamentos, obscurecidos de entendimento, alheios à vida de Deus por causa da ignorância em que vivem, pela dureza dos seus corações.

Efésios 4:17-18

CAPÍTULO 21

Pedindo a alegria do Senhor

Uma adolescente veio conversar comigo. Seus olhos estavam tristes, a testa franzida, o rosto angustiado e contraído. Ela partilhou comigo a tristeza de sua vida, chorando enquanto contava. Sentia quase todas as emoções negativas imagináveis, e era presa até de pensamentos suicidas. Orei com ela sobre cada uma de suas preocupações e depois pedi a Deus que lhe desse "uma coroa em vez de cinzas, óleo de alegria em vez de pranto, veste de louvor em vez de espírito angustiado" (Is 61:3).

Quando terminamos, fiquei admirada com a diferença que havia em seu rosto. A expressão de tristeza e sofrimento tinha sido substituída por uma beleza calma e radiante. O espírito de alegria já havia começado a lançar suas raízes, e ela parecia outra pessoa. Desde então venho observando essa garota florescer com tanta confiança e beleza que encanta a todos ao seu redor.

É triste, mas atualmente muitos jovens sofrem de depressão. E o pior de tudo é que a carregam consigo até a idade adulta. Ela vai e vem, colocando um manto sobre suas vidas, perturbando seus relacionamentos, arruinando sua saúde e até prejudicando a maneira como veem a Deus.

Não tem de ser assim. Não importa o tipo de experiência que a pessoa teve: ela não é obrigada a viver com depressão ou com qualquer outra emoção negativa. Não permita que seu filho fique preso a uma personalidade triste, deprimida, zangada, melancólica ou difícil. Expulse-a.

118 O PODER DOS PAIS QUE ORAM

É fácil identificar as pessoas que carregam emoções negativas e as que possuem um espírito de alegria. É mais visível nas crianças porque elas ainda não conseguem disfarçar as emoções como aprendemos a fazer quando adultos.

Observe seu filho com atenção. A expressão normal de seu rosto traduz paz, felicidade e alegria ou demonstra angústia, frustração, insatisfação, ira, depressão e tristeza? O seu filho se comporta mal mesmo sem razão aparente? Seu filho anda deprimido e mal-humorado e não sabe explicar o motivo. Cuide da situação antes que se torne um hábito. Emoções negativas se tornam hábitos, se não pusermos fim a elas orando para que nossos filhos sejam inundados por um espírito de alegria.

Não pense que ao orar para que a alegria do Senhor encha seu filho você está criando uma pessoa vazia, sem compaixão pelo sofrimento dos outros. Isso jamais acontecerá. A alegria do Senhor é rica, profunda, e as pessoas que andam nela não são insensíveis. A razão é porque essa alegria não tem nada a ver com circunstâncias felizes, mas está fundamentada em olharmos a face de Deus e reconhecermos que ele é tudo aquilo que precisamos.

Não estou afirmando que seu filho jamais deva ter emoções negativas ou demonstrar sofrimento emocional, e, sim, que as emoções negativas não devem se transformar em um hábito de vida. Minha argumentação é que devemos olhar para o Senhor porque ele "conduziu com alegria o seu povo, e com jubiloso canto os seus escolhidos" (Sl 105:43).

Ele também conduzirá nossos filhos assim, se lhe pedirmos.

Oração

Senhor,

Peço que dês a (nome do filho (a)) o dom da alegria. Que o espírito de alegria cresça em seu coração hoje para que ele (a) possa experimentá-la em plenitude, que só é encontrada na tua presença. Ajuda-o (a) a entender que a verdadeira felicidade e a verdadeira alegria só podem ser encontradas em ti.

Sempre que ele (a) for surpreendido (a) por emoções negativas, envolve-o (a) com o teu amor. Ensina-lhe a dizer: "Este é o dia que o SENHOR fez; regozijemo-nos e alegremo-nos nele" (Sl 118:24). Livra-o (a) do desespero, da depressão, da solidão, do desânimo, da ira e da rejeição. Que essas atitudes negativas não se apossem de (nome do filho (a)) nem sejam duradouras em sua vida. Que ele (a) proclame em seu coração: "E minha alma se regozijará no SENHOR e se deleitará na sua salvação" (Sl 35:9).

Eu sei, Senhor, que qualquer emoção negativa que esse filho (a) sentir é falsa e contraria a verdade da tua Palavra. Coloca firmemente a tua Palavra em seu coração e aumenta a sua fé dia a dia. Capacita-o (a) a viver no teu amor e a extrair força da alegria do Senhor hoje e para sempre.

Armas de guerra

Se guardardes os meus mandamentos, permanecereis no meu amor; assim como também eu tenho guardado os mandamentos de meu Pai, e no seu amor permaneço. Tenho-vos dito estas cousas para que o meu gozo esteja em vós, e o vosso gozo seja completo.

João 15:10-11

Tu me farás ver os caminhos da vida; na tua presença há plenitude de alegria, na tua destra delícias perpetuamente.

Salmos 16:11

E o Deus da esperança vos encha de todo o gozo e paz no vosso crer, para que sejais ricos de esperança no poder do Espírito Santo.

Romanos 15:13

120 O PODER DOS PAIS QUE ORAM

Porque não passa de um momento a sua ira; o seu favor dura a vida inteira. Ao anoitecer pode vir o choro, mas a alegria vem pela manhã.

Salmos 30:5

Regozijar-me-ei muito no Senhor, a minha alma se alegra no meu Deus; porque me cobriu de vestes de salvação, e me envolveu com o manto de justiça, como noivo que se adorna de turbante, como noiva que se enfeita com as suas joias.

Isaías 61:10

CAPÍTULO 22

Eliminando padrões comportamentais negativos adquiridos no ambiente familiar

Todos nós sabemos que podemos herdar os olhos de nossa mãe, nariz de nosso pai ou a cor de cabelo de nossa avó. E você sabia que também podemos "herdar" o gênio irascível, a propensão para mentir, a depressão, a autopiedade, a inveja, o rancor, o perfeccionismo e o orgulho? Essas e outras características comportamentais marcantes são igualmente "transmitidas" de nossos pais para nós e de nós para nossos filhos. Em determinada família talvez exista a tendência para o divórcio, doenças frequentes, infidelidade, alcoolismo, vícios, suicídio, depressão ou rejeição — todos aceitos erradamente como "destino" ou "eu sou assim mesmo".

"Estas coisas sempre acontecem na minha família", ouvimos as pessoas dizerem.

Muitas coisas que aceitamos em relação a nós mesmos e a nossa vida são, em realidade, padrões familiares, pois os filhos podem herdar as consequências dos pecados de seus ancestrais. A Bíblia diz que Deus visitará "a iniquidade dos pais nos filhos até a terceira e quarta geração daqueles que me aborrecem" (Êx 20:5). Esse versículo está se referindo a pessoas que não andam no relacionamento de amor com Deus, mas quantos de nossos ancestrais não andaram com Deus e quantas vezes nós temos sido desobedientes? A questão é que todos nós estamos debaixo desse julgamento, mas pela graça de Deus, por meio de Jesus Cristo, não temos de sofrê-lo. O versículo seguinte continua afirmando que Deus demonstra misericórdia "até mil gerações daqueles que me amam e guardam os meus mandamentos" (Êx 20:6).

Ao contrário dos traços físicos, não somos obrigados a aceitar as tendências espirituais que recebemos. Afinal, não precisamos aceitar cegamente as mentiras inculcadas pelo inimigo. Temos a opção de eliminá-las por meio da oração e do poder do Espírito Santo.

Quando notamos características nossas — das quais não gostamos —, refletidas em nossos filhos, podemos tomar uma atitude a respeito. E se observamos os mesmos traços em nossos pais e avós, devemos ser diligentes na oração e pedir especificamente a reversão dessa tendência.

Em famílias, por exemplo, em que o divórcio é uma constante, a criança crescerá acreditando que esta é a saída quando o relacionamento do casal é difícil, o que não é verdade. Essa falsa crença pode ser eliminada pelo poder de Deus e pela verdade de sua Palavra.

— Se Deus nos salvou por sua misericórdia, e o Espítito Santo nos purificou e renovou, e se somos justificados pela graça, por que eu continuo lutando contra o pecado? — perguntei ao meu conselheiro cristão há alguns anos.

— É porque o pecado não foi confessado, ou porque você optou por continuar a cometê-lo — foi a resposta.

— Sinto-me constrangida por tocar de novo no assunto, mas ainda guardo rancor por vários membros de minha família devido a fatos ocorridos no passado. Por que não consigo vencer isso?

— Sua mãe era uma pessoa rancorosa, não era?

— Muito. Ela guardava rancor por quase todas as pessoas da família e, por isso, se afastou da maioria delas. Minha mãe tinha poucos amigos pelo mesmo motivo — ela os afastava com o seu rancor por causa das menores ofensas.

— Você já pensou na possibilidade de haver adquirido uma tendência para o rancor? Os filhos assimilam os traços dos pais — ele sugeriu.

Eu jamais havia pensado na possibilidade de haver algo além dos limites da minha mente que me impelisse a permanecer fechada em meu rancor, e, quanto mais refletia sobre o assunto, mais ia me lembrando desse traço manifesto em outros membros da família. Não há dúvida que todas as famílias terão de, em algum momento, lidar com esse problema, mas a maioria passa por ele sem permitir que uma divergência, uma rusga ou uma ofensa provoquem um rompimento de relações.

— Eu sei que isso não atenua a minha responsabilidade de perdoar, mas observo que minha família segue um padrão de rancor — repliquei. — E o que mais me assusta é que pode ocorrer o mesmo com meus filhos. Agora eles já não perdoam um ao outro por fatos ocorridos. Fico triste só em pensar que depois de adultos e fora de nossa casa, ou depois que eu e meu marido formos nos encontrar com o Senhor, eles se separem. Estou vendo que preciso me libertar disso por eles e por mim mesma.

O conselheiro e eu oramos naquele dia para que o pecado do rancor em minha família não se transmitisse de geração em geração, mas que fosse detido pelo poder do Espírito Santo. Proclamei a verdade da Palavra de Deus que diz que eu sou uma nova criatura em Cristo, e não sou obrigada a viver de acordo com os hábitos e pecados do passado.

Por causa dessa revelação, resolvi confessar o rancor no mesmo instante em que ele surgisse — mesmo que tivesse de fazê-lo de hora em hora. Orei — e ainda oro — para que Deus faça de mim uma pessoa perdoadora. É a coisa mais fácil do mundo achar alguma coisa pela qual guardamos rancor. Só uma pessoa forte sente-se capaz de ignorar o fato e olhar para o Senhor.

124 O PODER DOS PAIS QUE ORAM

À medida que me liberto do rancor por meio da confissão, do arrependimento e da oração diante de Deus, percebo que meus filhos vêm se libertando também. E o relacionamento de ambos tem melhorado. É claro que a capacidade de perdoar dos meus filhos não depende de mim. A decisão é deles. Espero que vejam o exemplo de perdão de forma inequívoca para que a resolução deles de perdoar se torne mais fácil.

A melhor maneira de reverter esses padrões negativos em seus filhos é concentrar-se primeiro em libertar-se de suas próprias tendências pecaminosas. E o melhor meio de fazê-lo é identificar o pecado em sua vida. Se ele aumenta, a tendência que o gera também se desenvolve. Por exemplo, a mentira é pecado e é acompanhada por uma tendência para mentir. Quando alguém repete uma mentita, vai dando lugar a essa tendência, e em pouco tempo ela foge ao controle da pessoa.

Se há pecado em sua vida ou se você não está vivendo segundo a vontade de Deus, arrependa-se imediatamente, colocando-se diante do Senhor e confessando seu pecado. Peça perdão a ele e diga: "Senhor, assume o controle e ajuda-me para que eu não viva mais assim.".

O próximo passo é identificar qualquer tendência negativa em seus pais ou avós que possa estar afetando você ou seus filhos e orar sobre isso. A Bíblia diz: "Porque não recebestes o espírito de escravidão para viverdes outra vez atemorizados, mas recebestes o espírito de adoção, baseados no qual clamamos: Aba, Pai. O próprio Espírito testifica com o nosso espírito que somos filhos de Deus" (Rm 8:15-17). Nós queremos ser herdeiros de Deus, não do pecado de nossa família.

Em nome de Jesus podemos ser libertos de qualquer propensão familiar negativa, e pelo poder do Espírito Santo podemos impedir que ela se manifeste ou permaneça na vida de nossos filhos. Se você se lembrar de algum traço de família

ELIMINANDO PADRÕES COMPORTAMENTAIS NEGATIVOS... 125

que não gostaria que seus filhos desenvolvessem, comece a orar agora.

Oração

Senhor,

Tu disseste em tua Palavra que o homem de bem deixa herança aos filhos de seus filhos (Pv 13:22). Eu te peço que a herança que eu deixar para os meus filhos seja a recompensa de uma vida piedosa e um coração limpo diante de ti. Para que isso aconteça, peço que tu me libertes agora, em nome de Jesus, de qualquer maldição que houver em mim, herdada de minha família e aceita como minha. Confesso a ti os pecados da minha família. Não tenho conhecimento de todos eles, mas sei que tu os conheces. Peço perdão e restauração. Confesso a ti também os meus pecados e peço perdão, pois a tua Palavra diz: "Se confessarmos os nossos pecados, ele é fiel e justo para nos perdoar os pecados e nos purificar de toda injustiça" (1Jo 1:9). Sei que a purificaçãoo do pecado por meio da oração elimina a possibilidade de suas consequencias serem transmitidas para o meu filho.

Disse Jesus: "Eis aí vos dei autoridade... sobre todo o poder do inimigo" (Lc 10:19). Se existe alguma obra do inimigo no passado de minha família que procura invadir a vida do meu filho (nome do filho (a)), eu a quebro agora pelo poder e autoridade que me são dados em nome de Jesus Cristo. Peço especificamente sobre (identifique alguma coisa que você percebe em si mesmo ou em sua família que não deseja ver transmitida para seu filho (a)). Tudo o que não seja da tua vontade para nossas vidas eu rejeito como pecado.

Obrigado, Jesus, porque tu vieste nos libertar do passado. Nós nos recusamos a viver presos a ele. Obrigado, Pai, porque o Senhor nos fez idôneos à parte que nos cabe da herança dos santos na luz (Cl 1:12). Peço que meu (minha) filho (a) não herde nenhuma maldição desta família terrena, mas que entre na posse do reino que lhe

126 O PODER DOS PAIS QUE ORAM

*está preparado desde a fundação do mundo (Mt 25:34). Obrigado,
Jesus, porque em ti as coisas velhas estão mortas e tudo se fez novo.*

Armas de guerra

Para a liberdade foi que Cristo nos libertou. Permanecei, pois,
firmes e não vos submetais de novo a jugo de escravidão.

Gálatas 5:1

Bendito o Deus e Pai de nosso Senhor Jesus Cristo que, segundo a sua muita misericórdia, nos regenerou para uma viva
esperança mediante a ressurreição de Jesus Cristo dentre os
mortos, para uma herança incorruptível, sem mácula, imarces-
cível, reservada nos céus para vós outros, que sois guardados
pelo poder de Deus, mediante a fé, para salvação preparada
para revelar-se no último tempo.

1Pedro 1:3-5

O Espírito do SENHOR Deus está sobre mim, porque o SENHOR
me ungiu, para pregar boas-novas aos quebrantados, enviou-
me a curar os quebrantados de coração, a proclamar libertação
aos cativos, e a pôr em liberdade os algemados.

Isaías 61:1

E assim, se alguém está em Cristo, é nova criatura: as cousas
antigas já passaram; eis que se fizeram novas.

2Coríntios 5:17

Pois nós também, outrora, éramos néscios, desobedientes, des-
garrados, escravos de toda sorte de paixões e prazeres, vivendo em malícia e inveja, odiosos e odiando-nos uns aos outros.
Quando, porém, se manifestou a benignidade de Deus, nosso
Salvador, e o seu amor para com os homens, não por obras de

justiça praticadas por nós, mas segundo sua misericórdia, ele nos salvou mediante o lavar regenerador e renovador do Espírito Santo, que ele derramou sobre nós ricamente, por meio de Jesus Cristo, nosso Salvador, a fim de que, justificados por graça, nos tornemos seus herdeiros, segundo a esperança da vida eterna.

Tito 3:3-7

CAPÍTULO 23

Evitando álcool, drogas e outros vícios

Satanás quer se apossar de nossos filhos e vai tentar conquistá-los como puder. O álcool, as drogas e outros vícios são alguns de seus métodos de sedução mais bem-sucedidos. O ataque contra nossos filhos é tão pesado que eles não conseguem suportá-lo sem nossa ajuda. A boa notícia é que, *com* nosso apoio, oração e ensino, eles conseguirão permanecer firmes.

Nunca é cedo demais para começarmos a orar por nossos filhos pedindo a Deus que evitem o álcool e as drogas, porque a exposição a elas e a possibilidade de se viciarem ocorre em tenra idade. E nunca é tarde demais para orarmos a esse respeito, pois a tentação surge para todos em qualquer idade. Conheço um homem que só se tornou alcoólatra depois dos cinquenta anos. Ele contou que sabia que possuía certa fraqueza por bebida, e só cedeu quando, em um jantar, serviram licor. Ele experimentou um pouquinho e, quando foi para casa, não conseguiu mais parar de beber. Talvez, se esse homem contasse em sua infância com pais de oração, ou dispusesse de um grupo de oração intercedendo a seu favor, isso não tivesse acontecido.

Eu já vi, por exemplo, muitos ministros de música cristãos caírem por causa de drogas e álcool. Essas pessoas estão na frente da batalha, e só percebem o problema quando são abatidas. São os alvos preferidos para o ataque do inimigo, e são pegos em sua armadilha porque frequentemente não estão cercados de oração. Há de se convir que alguns deles caem em tentação deliberadamente, mas tenho certeza de que a maioria deseja agir de forma correta. A verdade é que o apelo da carne e os planos do diabo são muito mais fortes do que imaginamos. Em um momento de fraqueza a que todos nós somos suscetíveis, podemos agir de modo inesperado. Só o poder de Deus, por meio da oração, é que faz a diferença.

Se seu filho *já* apresenta problemas nessa área e o diabo ganhou algum terreno na batalha, levante-se na confiança de quem sabe sua posição no Senhor e recupere-o. Os filhos são *seus* e *não* do diabo, e você pode defendê-los diante do trono de Deus. *Você* tem o poder *e* a autoridade, Satanás não tem nada. Ele só opera com mentiras e engano. Repreenda suas mentiras pelo poder que lhe foi investido por intermédio de Jesus Cristo, seu Salvador, Senhor de tudo em sua vida, inclusive de seu filho.

A Bíblia diz: "Portanto, quer comais, quer bebais, ou façais outra cousa qualquer, fazei tudo para a glória de Deus" (1Co 10:31). Vamos orar para que tudo que nossos filhos façam com seus corpos seja realizado para a glória de Deus.

Oração

Senhor,

Peço que tu guardes (nome do filho (a)) de qualquer vício, principalmente do álcool e das drogas. Faze com que seja forte em ti, atrai-o (a) para perto de ti, faze com que ele (a) entregue o controle de sua vida em tuas mãos. Fala ao seu coração, mostra o caminho em que deve andar e ajuda-o (a) a entender que, protegendo o corpo de coisas destrutivas, estará prestando culto a ti.

Senhor, peço que desfaças qualquer plano de Satanás para destruir a vida dele (a) por meio do álcool e das drogas, e que elimines de sua personalidade aquilo que possa levá-lo (a) a usar essas substâncias. A tua Palavra diz: "Há caminho que parece direito ao homem, mas afinal são caminhos de morte" (Pv 16:25). Dá-lhe discernimento e forças para dizer "não" a tudo que traga morte e "sim" às coisas de Deus, que produzem vida. Que ele (a) enxergue a verdade com clareza sempre que surgir a tentação, e que seja liberto (a) das armadilhas do maligno. Capacita-o (a) a escolher a vida em tudo o que fizer, e que seja viciado (a) apenas nas coisas de Deus. Que tudo o que ele (ela) fizer com seu corpo seja feito para a glória de Deus, é a minha súplica, em nome de Jesus.

Armas de guerra

Porque, se viverdes segundo a carne, caminhais para a morte; mas, se pelo Espírito mortificardes os feitos do corpo, certamente vivereis.

Romanos 8:13

Afasta, pois, do teu coração o desgosto e remove da tua carne a dor, porque a juventude e a primavera da vida são vaidades.

Eclesiastes 11:10

Os céus e a terra tomo hoje por testemunhas contra ti que te propus a vida e a morte, a bênção e a maldição: escolhe, pois, a vida, para que vivas, tu e a tua descendência.

Deuteronômio 30:19

A justiça dos retos os livrará, mas na sua maldade os pérfidos serão apanhados.

Provérbios 11:6

Se, pois, o Filho vos libertar, verdadeiramente sereis livres.

João 8:36

CAPÍTULO 24

Rejeitando a imoralidade sexual

A imoralidade sexual é a possibilidade mais temida na vida de nossos filhos, só superada por ferimentos graves, morte e inferno por toda a eternidade, porque os resultados do pecado sexual se prolongam pela vida a fora, tanto dos pais quanto dos filhos. Palavras como aborto, experiência sexual antes do casamento, infidelidade, homossexualismo, doenças sexualmente transmissíveis e aids fazem qualquer pai tremer. E hoje, mais do que nunca, é um problema de vida ou morte.

Todos nós sabemos que não há como escapar das consequências da imoralidade sexual, e não é só o que acontece com o corpo de nossos filhos que nos preocupa. A Bíblia diz: "Amados, exorto-vos, como peregrinos e forasteiros que sois, a vos absterdes das paixões carnais que fazem guerra contra a alma" (1Pe 2:11). As consequências do pecado sexual atingem também a alma.

Tenho orado sobre esse assunto desde que meus filhos eram bem pequenos, e oro ainda hoje com fervor. Não quero que eles morram de aids, não quero ter netos antes que meus filhos se casem e, o mais importante, não quero que desobedeçam a Deus e deixem de receber o que ele tem preparado para suas vidas. Sei que a plenitude da presença de Deus, a paz, as bênçãos e a alegria são sacrificadas quando há pecado sexual. O preço a pagar é muito alto.

Não podemos esperar até que nossos filhos se tornem adolescentes para então começarmos a orar sobre isso, como também não podemos esperar até a adolescência para lhes

132 O PODER DOS PAIS QUE ORAM

ensinar que a vida funciona melhor quando vivemos segundo a vontade de Deus. Hoje é o dia certo para orar. A tentação sexual se encontra em toda parte, bem diante dos olhos dos nossos filhos: nos cartazes, na televisão, no rádio, nos filmes, nas músicas populares, nos livros e revistas, e até em publicações insuspeitas como as relacionadas aos esportes, notícias, saúde e *hobbies*. Nossos filhos são bombardeados por ela, e estaremos vivendo fora da realidade se acharmos que eles não podem ser tentados. Podem, e com muita força. Eles precisam de nossa intercessão em favor deles. Mesmo que seu filho já tenha falhado nessa área, nunca é tarde demais para ele confessar e se arrepender, ser perdoado, curado e restaurado.

A Bíblia diz: "O que confia no seu próprio coração é insensato, mas o que anda em sabedoria, será salvo" (Pv 28:26). Devemos orar para que nossos filhos confiem em Deus e não em suas emoções inconstantes, para que andem com sabedoria e evitem essa armadilha perigosa. Devemos orar para que eles vivam segundo os planos de Deus.

Um dos caminhos do Senhor para nossas vidas é a pureza sexual, e o alicerce desse caminho é assentado em tenra idade. Não importa a idade do seu filho — criança, adolescente ou adulto —, se é virgem ou sexualmente ativo, comece a orar para que ele tenha uma vida sexual pura a partir de hoje.

Oração

Senhor,

Peço que guardes (nome da filho (a)) sexualmente puro (a) por toda a vida. Dá-lhe um coração desejoso de fazer o que é correto nessa área, e permite que a pureza lance raízes em sua personalidade e guie seus atos. Ajuda-o (a) a estabelecer normas cristãs em seus relacionamentos e a resistir a tudo o que não seja o teu melhor. Abre seus olhos para a verdade da tua Palavra e ajuda-o (a) a se conscientizar de que o sexo fora do casamento jamais estará alicerçado no amor incondicional, duradouro e comprometido que ele (a) precisa. Que sua personalidade não fique marcada por emoções prejudicadas pela fragmentação da alma, resultante da imoralidade sexual.

Senhor, que ele (a) não tenha relações sexuais pré-conjugais, e que só se relacione sexualmente com seu cônjuge. Que o homossexualismo não tenha poder sobre ele (a), e nem surjam oportunidades de tentá-lo (a). Afasta-o (a) da presença de qualquer pessoa com intenção maligna, ou tira essa pessoa de sua vida. Protege-o (a) de abuso sexual ou estupro. Afasta seus olhos da imoralidade sexual que satura este mundo, e torna-o (a) capaz de entender que aquele "que quiser ser amigo do mundo constitui-se inimigo de Deus" (Tg 4:4). Senhor, que ele (a) anseie pela tua aprovação. Não permitas, em nenhum momento, que haja pecado sexual em sua vida. Liberta-o (a) de todo espírito de concupiscência que possa tentá-lo (a) a cair nessa área. Põe o alarme do Espírito Santo nele (a), e que funcione como uma sirene bem alta sempre que ele (a) ultrapassar a linha do que é correto aos teus olhos.

A tua Palavra diz: "Bem-aventurado o homem que suporta com perseverança a provação; porque, depois de ter sido aprovado, receberá a coroa da vida, a qual o Senhor prometeu aos que o amam" (Tg 1:12) . Fala com ele (a) em alta voz sempre que surgir a tentação de fazer algo que não deve, e torna-o (a) forte em ti para sustentar o que é certo e dizer "não" à imoralidade sexual. Que a tua graça o (a) capacite a permanecer fiel ao compromisso de se manter puro, para que um dia ele (a) receba a tua coroa da vida.

Armas de guerra

Pois esta é a vontade de Deus, a vossa santificação: que vos abstenhais da prostituição, que cada um de vós saiba possuir o próprio corpo, em santificação e honra, não com o desejo de lascívia, como os gentios que não conhecem a Deus.

1Tessalonicenses 4:3-5

Fugi da impureza! Qualquer outro pecado que uma pessoa cometer, é fora do corpo; mas aquele que pratica a imoralidade peca contra o próprio corpo.

1Coríntios 6:18

Porém o corpo não é para a impureza, mas para o Senhor, e o Senhor para o corpo.

1Coríntios 6:13

Não vos sobreveio tentação que não fosse humana; mas Deus é fiel, e não permitirá que sejais tentados além das vossas forças; pelo contrário, juntamente com a tentação, vos proverá livramento, de sorte que a possais suportar.

1Coríntios 10:13

Ao contrário, cada um é tentado pela sua própria cobiça, quando esta o atrai e seduz. Então a cobiça, depois de haver concebido, dá à luz o pecado; e o pecado, uma vez consumado, gera a morte.

Tiago 1:14-15

CAPÍTULO 25

Encontrando o par perfeito

Logo depois do nascimento dos meus filhos, comecei a orar por seus respectivos cônjuges. Ainda oro e continuarei a orar até que se casem. Oro também para que o espírito de divórcio jamais tenha lugar em suas vidas. Algumas pessoas podem achar que é prematuro orar por esses assuntos, mas não é. Depois da decisão de aceitar a Cristo, o casamento é o passo mais importante na vida de nossos filhos, o passo que vai influenciar o resto de suas vidas e a vida de outros membros da família. A decisão errada pode trazer dor e sofrimento para todos os envolvidos. Só Deus é que sabe quem será o melhor cônjuge para cada um, e ele deve ser o primeiro a ser consultado e a dar a palavra final.

Quando me lembro das pessoas conhecidas que fizeram casamentos miseráveis, tiveram cônjuges ofensivos, sofreram com a infidelidade conjugal, casaram-se várias vezes ou tarde demais para ter filhos ou que, como solteiras, são infelizes, um fato me vem à mente: nenhuma delas teve pais que intercedessem a seu favor quanto ao parceiro no relacionamento matrimonial.

Por outro lado, conheço casais perfeitamente ajustados ao casamento, que não enfrentaram os problemas mencionados. Não causa surpresa saber que todas as pessoas tiveram pais que oraram por elas sobre esse assunto ou elas, individualmente, oraram e esperaram até ter certeza de haver encontrado o par escolhido por Deus. Essas pessoas também não pulavam de um namoro para outro, nem ignoravam as normas de Deus quanto à pureza sexual. Elas se guardavam puras para o par que Deus havia preparado, e foram grandemente recompensadas.

Como resultado de minhas observações e da minha própria experiência, creio que os casamentos podem, literalmente, ser realizados no céu quando pedimos ao casamenteiro por excelência, Deus.

Cerimônias suntuosas não produzem casamentos perfeitos. Só Deus é capaz de concretizar isso. A Bíblia diz: "Muitos propósitos há no coração do homem, mas o desígnio do Senhor permanecerá" (Pv 19:21). Não são os organizadores da festa que fazem com que os noivos trilhem o caminho certo. Consultar o Senhor e obedecer a sua orientação é que conduz a esse caminho. Só a oração é capaz de fazer com que nossos filhos busquem continuamente a Deus e não corram atrás das próprias emoções.

O Espírito de Deus mantém o casamento; o espírito de divórcio o destrói. Ore agora para que o Espírito Santo, e não o espírito de divórcio, governe o futuro de seu filho.

Se seu filho já é casado, ore para que ele e seu cônjuge sejam "perfeitamente unidos na mesma disposição mental e no mesmo parecer" (1Co 1:10), porque "toda... casa, dividida contra si mesma, não subsistirá" (Mt 12:25). Ore para que sejam libertados de todo espírito de divórcio que possa abrir uma brecha entre eles. Se seu filho já é divorciado, ore para que todo o abatimento seja eliminado, e que não haja mais divórcio em seu futuro.

Não importa a idade do seu filho, ore sobre isso hoje. O divórcio faz parte do espírito desta época e, em algum momento, ameaça a todos nós. Vamos nos unir para impedir que ele nos ataque ou ataque nossos filhos. Vamos pedir isso pelo poder do Espírito Santo em nós por intermédio de Jesus Cristo, o Filho de Deus.

Oração

Senhor,

Peço-te que, a não ser que teu plano seja para que ele (a) permaneça solteiro (a), que tu envies o cônjuge perfeito para (nome do filho (a)). Envia a esposa (o) certa (o) no tempo adequado, e dá-lhe orientação segura a esse respeito. Peço que meu filho (a) seja submisso a tua voz quanto ao casamento, e que se decida baseando-se na tua direção e não no desejo da carne. Suplico que ele (a) confie em ti de todo coração, e não confie no próprio entendimento; que te reconheça em todos os seus caminhos para que tu o (a) dirijas em suas veredas (Pv 3:5-6).

Prepara aquela (e) que será a esposa (o) perfeita (o) para ele (a). Ajuda meu filho (a) a perceber a diferença entre se apaixonar e ter convicção sobre quem é a pessoa com quem Deus deseja que viva até o fim de seus dias. Caso ele (a) se sinta atraído (a) por alguém com quem não deve se casar, eu suplico, Senhor, para que tu cortes o relacionamento. Ajuda-o (a) a se conscientizar de que, se tu não estiveres no centro do casamento, ele não subsistirá; se tu não o abençoares, ele não será abençoado, porque a tua Palavra diz: "Se o Senhor não edificar a casa, em vão trabalham os que a edificam" (Sl 127:1). Peço que tu edifiques o casamento ao redor do qual a casa será construída.

E, quando ele (a) encontrar a pessoa certa para se casar, que seja uma (um) serva (o) devotada (o) e fiel a ti; que te ame e ande nos teus caminhos, que seja como uma (um) filha (o) para mim e uma bênção para toda a família. Depois de casado (a), que não haja divórcio em seu futuro. Que não haja abuso mental, emocional ou físico de qualquer espécie. Pelo contrário, que haja unidade física, emocional e mental, uma harmonia que jamais seja tocada pela divisão. Peço que ele (a) se mantenha liberto de todo espírito de divórcio, separação ou desunião que tente abrir uma brecha no

138 O PODER DOS PAIS QUE ORAM

relacionamento deles. Dá a cada um deles o forte desejo de viver em fidelidade, e remove toda a tentação para a infidelidade.

Que ele (a) tenha uma (um) esposa (o) para toda a vida, e que esta (este) também seja sua (seu) amiga (o) mais íntima (o). Que sejam mutuamente leais, compassivos, atenciosos, sensíveis, respeitosos, perdoadores, amorosos e esteios um do outro todos os dias de suas vidas.

Armas de guerra

Porém, desde o princípio da criação, Deus os fez homem e mulher. Por isso deixará o homem a seu pai e mãe [e unir-se-á a sua mulher], e, com sua mulher, serão os dois uma só carne. De modo que já não são dois, mas uma só carne. Portanto, o que Deus ajuntou não o separe o homem.

Marcos 10:6-9

Digno de honra entre todos seja o matrimônio, bem como o leito sem mácula; porque Deus julgará os impuros e adúlteros.

Hebreus 13:4

Quem repudiar sua mulher e casar com outra comete adultério contra aquela.

Marcos 10:11

O que acha uma esposa acha o bem, e alcançou a benevolência do SENHOR.

Provérbios 18:22

Ainda fazeis isto: cobris o altar do SENHOR de lágrimas, de choro e de gemidos, de sorte que ele já não olha para a oferta, nem a aceita com prazer da vossa mão. E perguntais: Por quê? Porque o SENHOR foi testemunha da aliança entre ti e a mulher da tua mocidade, com a qual tu foste desleal, sendo ela a tua companheira e a mulher da tua aliança. Ninguém com um resto de bom-senso o faria. Mas que fez um patriarca? Buscava descendência prometida por Deus. Portanto cuidai de vós mesmos, e ninguém seja infiel para com a mulher da sua mocidade. Porque o SENHOR Deus de Israel diz que odeia o repúdio; e também aquele que cobre de violência as suas vestes, diz o SENHOR dos Exércitos; portanto cuidai de vós mesmos e não sejais infiéis.

Malaquias 2:13-16

CAPÍTULO 26

Vivendo livre da falta de perdão

Quando tenho de pedir desculpas aos meus filhos, digo que preciso ouvi-los dizer:

— Eu a perdoo.

Não ajo assim pela necessidade de *ouvir* a frase, mas porque *eles* precisam *pronunciá-la* para ser totalmente libertos. Do mesmo modo, quando meus filhos discutem, peço que digam: "Desculpe" e "Eu te perdoo" um para o outro.

Mesmo que eles não sejam sinceros no momento, sei que suas palavtas vão acabar chegando aos seus corações. É claro que o ideal seria que eles se desculpassem mutuamente com sinceridade e sem serem mandados, mas até que isso se torne realidade, fazer o que lhes aconselho é melhor do que não fazer nada e esperar o perdão acontecer.

"Perdoar é uma *opção*", ensinei. "Se você não perdoar, trará morte para sua vida, de um jeito ou de outro. A melhor maneira de se tornar perdoador é orar pela pessoa que você precisa perdoar. Mesmo que, a princípio, pareça difícil, uma vez que você se dispõe a agir assim e encontra mais e mais motivos sobre os quais orar, seu coração vai se abrandando em relação à pessoa".

Tenho observado bem de perto — e creio que você também — famílias que esperam que o perdão aconteça por si só. As pessoas não perdoam até que *sintam vontade* de perdoar. E o resultado são os atritos sérios que existem entre parentes. Em geral eles falam coisas desagradáveis uns para os outros, fazem comentários sobre os demais ou talvez não se falem há anos.

VIVENDO LIVRE DA FALTA DE PERDÃO 141

A falta de cortesia e apreciação mútua sublinha cada palavra e ato, porque o espírito de falta de perdão encontrou abrigo ali. Toda a família sofre quando um ou mais de seus membros assume esse tipo de atitude em relação aos demais.

Para receber a confirmação da promessa de vida longa e abençoada que acompanha o mandamento para honrar pai e mãe, cada filho precisa perdoar as imperfeições dos pais e tudo o que eles tiverem feito de prejudicial. Precisa, também, perdoar irmãs, irmãos, tias, tios, primos, avós, conhecidos, amigos, inimigos e, às vezes, a si mesmo — e devemos encorajá-lo a fazer isso. Se nós não ensinarmos nossos filhos a perdoar, estaremos lhes prestando um desserviço que pode provocar sérias consequências.

Uma das melhores coisas que podemos fazer para ajudar nossos filhos a permanecerem libertos da falta de perdão, além de ensiná-los a perdoar e orar para que vivam em perdão, é nos libertarmos da ausência do ato de perdoar. Esse é um problema que facilmente se torna parte de nossa vida, e que carregamos conosco sem perceber que levamos excesso de bagagem.

Quando, por fim, aprendi que o perdão não *conserta a outra pessoa*, mas *liberta você*, fiz uma grande descoberta nessa área. O fato de perdoar alguém aparentemente seria o mesmo que dizer: "O que você fez está certo".

Mas não é assim. Perdoar é confiar que Deus é o Deus de justiça que ele afirma ser, e dizer: "Pai, não quero mais acorrentar aquela pessoa a mim com a falta de perdão".

É reconhecer que Deus sabe a verdade e permitir que ele seja o juiz, porque só ele conhece toda a história.

A Bíblia diz: "Porque o Senhor é Deus de justiça; bem-aventurados todos os que nele esperam" (Is 30:18). Nós seremos abençoados se confessarmos a ele nossa falta de perdão, orarmos para ser libertos e aguardarmos que ele aja da maneira correta, desfrutando de suas bênçãos. Não é muito melhor do

142 O PODER DOS PAIS QUE ORAM

que viver na prisão da falta de perdão, sofrendo do mal que ela causa as nossas almas, aos nossos corpos, aos nossos relacionamentos e as nossas vidas?

Como o filho pode perdoar o pai que o espancou? Como a mãe pode perdoar o motorista bêbado que matou sua filha? Como a jovem pode perdoar o tio que a molestou? Como alguém pode demonstrar misericórdia para quem não foi misericordioso? Ninguém consegue perdoar plenamente, a não ser que vá à presença do Senhor e entenda seu *pleno* perdão.

Não há nada semelhante às lágrimas de alegria e libertação que derramamos quando comparecemos ao lugar de completo perdão diante do Senhor. É uma nova vida, pois renova todo o nosso ser. A Bíblia diz: "Uma cousa faço: esquecendo-me das cousas que para trás ficam e avançando para as que diante de mim estão, prossigo para o alvo, para o prêmio da soberana vocação de Deus em Cristo Jesus" (Fp 3:13-14).

Não podemos seguir adiante e receber tudo o que Deus tem para nós enquanto estivermos ligados e presos ao passado. Nem nossos filhos. Disse Jesus: "Bem-aventurados os misericordiosos, porque alcançarão misericórdia" (Mt 5:7). Vamos orar para que nossos filhos demonstrem misericórdia e, assim, a misericórdia de Deus para com eles não terá limites. Vamos orar para que sejam pessoas que dizem "eu o perdoo", sempre que houver oportunidade.

Vamos orar para que a amargura e a falta de perdão não se tornem uma muralha entre nós e Deus e impeça nossas orações. Não podemos perder tempo. Temos muito pelo que orar.

Oração

Senhor,

Eu te peço que (nome do filho (a)) tenha sempre espírito de perdão. Ensina-o (a) a profundidade do teu perdão para com ele (a), para que perdoe livremente os demais. Ajuda-o (a) a tomar a decisão de perdoar baseado (a) naquilo que tu nos mandas fazer, e não no que parece certo no momento. Que ele (a) possa compreender que o perdão não justifica os atos da outra pessoa, mas que torna essa pessoa livre. Ajuda-o (a) a entender que só tu conheces toda a história a nosso respeito e que ele (a) não tem o direito de julgar.

Senhor, a tua Palavra diz: "Aquele que ama a seu irmão permanece na luz e nele não há nenhum tropeço. Aquele, porém, que odeia a seu irmão está nas trevas, e anda nas trevas, e não sabe para onde vai, porque as trevas lhe cegaram os olhos" (1Jo 2:10-11). Mostra-me os lugares em que ando nas trevas da falta de perdão. Não quero andar assim. Minha vontade é enxergar com clareza e saber para onde vou. Peço a mesma coisa para o meu filho (a). Que ele (a) ande na luz do amor e do perdão. Capacita-o (a) a perdoar tanto pessoas da família, como amigos e os demais. Ensina-o (a) a entregar o seu passado a ti para que possa receber tudo o que tu tens preparado para ele (a). Não permitas que abrigue ressentimento, amargura e ira, mas ajuda-o (a) a entregar esses sentimentos a ti na mesma hora que se manifestarem.

Peço que ele (a) perdoe a si próprio (a) pelos fracassos, e que jamais culpe a ti, Senhor, pelo que acontece na terra e em sua vida. Peço, de acordo com a tua Palavra, que ele (a) ame seus inimigos, abençoe os que o (a) maltratam, seja bom (boa) para com aqueles que o (a) odeiam, e ore por aqueles que, rancorosos, o (a) perseguem, para que possa usufruir de tuas bênçãos (Mt 5:44-45). Peço, em nome de Jesus, que ele (a) viva na plenitude do teu perdão e ande na liberdade do perdão em seu interior.

Armas de guerra

Longe de vós toda a amargura, e cólera, e ira, e gritaria, e blasfêmias, e bem assim toda a malícia. Antes, sede uns para com

144 O PODER DOS PAIS QUE ORAM

os outros benignos, compassivos, perdoando-vos uns aos outros, como também Deus em Cristo vos perdoou.

Efésios 4:31-32

Porque se perdoardes aos homens as suas ofensas, também vosso Pai celeste vos perdoará; se, porém, não perdoardes aos homens [as suas ofensas], tampouco vosso Pai vos perdoará as vossas ofensas.

Mateus 6:14-15

E, indignando-se, o seu senhor o entregou aos verdugos, até que lhe pagasse toda a dívida. Assim também meu Pai celeste vos fará, se do íntimo não perdoardes cada um a seu irmão.

Mateus 18:34-35

A discrição do homem o torna longânimo, e sua glória é perdoar as injúrias.

Provérbios 19:11

E, quando estiverdes orando, se tendes alguma causa contra alguém, perdoai, para que vosso Pai celestial vos perdoe as vossas ofensas.

Marcos 11:25

CAPÍTULO 27

Andando em contrição

Você já prestou atenção nos filhos que vivem com sentimento de culpa e condenação porque não foram ensinados a confessar, a se arrepender e a ser perdoados de seus pecados? Eles não têm os mesmos olhos límpidos e a expressão confiante dos filhos que estão livres da condenação. A Bíblia diz: "Contemplai-o e sereis iluminados, e os vossos rostos jamais sofrerão vexame" (Sl 34:5). Os filhos que admitem seus erros e os lamentam a ponto de desejar mudar o comportamento exibem um semblante completamente diferente daqueles que escondem seu pecado e não querem ser transformados.

A confissão e o arrependimento são dois princípios que devemos incutir em nossos filhos, porque o pecado não confessado ergue uma muralha entre eles e Deus. O arrependimento, que literalmente significa "dar meia-volta e mudar de vida", se manifesta quando o filho diz: "Eu fiz isto, desculpe; não vou fazer de novo".

Se o pecado não é confessado e não há arrependimento, o filho não consegue se libertar do laço que o prende a esse pecado, e isso será exibido em seu rosto, em sua personalidade e em seus atos.

Deus disse aos israelitas que lhe desobedeceram e não se arrependeram: "Ali vos lembrareis dos vossos caminhos e de todos os vossos feitos com que vos contaminastes, e tereis nojo de vós mesmos, por todas as vossas iniquidades que tendes cometido" (Ez 20:43). Essa autoaversão devido ao pecado não confessado e à falta de arrependimento acontece também conosco, e uma de suas manifestações é a baixa autoimagem. Sentimentos de fracasso e de culpa trarão destruição à vida de nossos filhos, se eles não forem ensinados a confessar e se arrepender.

Eu me lembro de ter percebido o pecado no rosto dos meus filhos antes de descobri-lo em suas atitudes. Eles comentavam como era irritante não conseguir esconder os fatos durante muito tempo.

"Isto acontece porque eu peço a Deus que me revele tudo o que preciso saber, e o Espírito Santo me conta quando vocês fazem alguma coisa errada", eu dizia.

Sempre que eu notava o semblante deles — em geral franco e luminoso — toldado por uma nuvem de desonestidade, pedia a Deus que me mostrasse se havia algum pecado escondido. Depois que eles confessavam, se arrependiam e recebiam o castigo adequado, a expressão mudava — era como se um peso ou uma sombra fosse tirada de cima deles. O pecado tem um efeito tóxico. O pecado não confessado nos faz vergar; ele distorce e escurece nossa imagem. O pecado confessado e o coração arrependido trazem luz, vida, confiança e liberdade.

Nenhum filho é perfeito e precisamos pedir a Deus que revele ou traga à luz todo pecado encoberto que tenha se enraizado no coração de nossos filhos para que seja extirpado agora e não mais tarde, quando as consequências poderão ser mais sérias. E Deus nos atenderá, porque "ele conhece os segredos dos corações" (Sl 44:21).

Todos nós já ouvimos falar de homens "amáveis, simpáticos" que batem nas esposas, maltratam os filhos ou saem matando por aí. Com certeza esses homens têm um pecado escondido no coração. Da mesma forma, todo pecado escondido no coração de nossos filhos vai se revelar de maneira indesejável. A hora certa para cuidar disso é agora. "Lançai de vós todas as vossas transgressões com que transgredistes, e criai em vós coração novo e espírito novo; pois, por que morreríeis, ó casa de Israel?" (Ez 18:31).

Peça a Deus que traga à luz o seu pecado e o de seus filhos, para que não haja um preço físico e emocional a ser pago mais tarde.

O pecado leva à morte. O arrependimento leva à vida. É certo que nossa confissão não vai fazer com que Deus descubra alguma coisa, pois ele já sabe de tudo. A confissão é a oportunidade para nós nos reabilitarmos. O arrependimento é uma chance para começarmos de novo. Nossos filhos, e nós também, precisamos de ambos.

Oração

Senhor,

Peço-te que dês a (nome do filho (a)) um coração pronto para confessar seus erros. Que ele (a) se arrependa verdadeiramente deles para ser perdoado (a) e purificado (a) de seus pecados. Ajuda-o (a) a entender que tuas leis são para seu próprio bem, e que a confissão e o arrependimento que tu exiges deve se tornar um padrão de vida. Dá-lhe o desejo de viver em verdade diante de ti, e que ele (a) possa dizer, como Davi: "Lava-me completamente da minha iniquidade, e purifica-me do meu pecado.[...] Cria em mim, ó Deus, um coração puro, e renova dentro em mim um espírito inabalável. Não me repulses da tua presença, nem me retires o teu Santo Espírito. Restitui-me a alegria da tua salvação, e sustenta-me com um espírito voluntário" (Sl 51:2,10-12).

Senhor, traze à luz todos os pecados escondidos para que possam ser confessados, para que haja arrependimento e sejam perdoados. A tua Palavra diz: "Bem-aventurado aquele cuja iniquidade é perdoada, cujo pecado é coberto" (Sl 32:1). Eu te peço que meu filho (a) não consiga guardar o pecado dentro de si, mas que anseie por

148 O PODER DOS PAIS QUE ORAM

uma confissão plena e possa dizer "vê se há em mim algum caminho mau, e guia-me pelo caminho eterno" (Sl 139:24). Que ele (a) não viva com sentimento de culpa e em condenação, mas que ande com uma consciência limpa e em pleno entendimento do seu perdão em Cristo. Peço também que ele (a) olhe sempre para ti e exiba um semblante radioso.

Armas de guerra

Amados, se o coração não nos acusar, temos confiança diante de Deus; e aquilo que pedimos, dele recebemos, porque guardamos os seus mandamentos, e fazemos diante dele o que lhe é agradável.

1João 3:21-22

Deixe o perverso o seu caminho, o iníquo os seus pensamentos; converta-se ao SENHOR, que se compadecerá dele, e volte-se para o nosso Deus, porque é rico em perdoar.

Isaías 55:7

Portanto, eu vos julgarei, a cada um segundo os seus caminhos, ó casa de Israel, diz o SENHOR Deus. Convertei-vos, e desviai-vos de todas as vossas transgressões; e a iniquidade não vos servirá de tropeço.

Ezequiel 18:30

O que encobre as suas transgressões, jamais prosperará; mas o que as confessa e deixa, alcançará misericórdia.

Provérbios 28:13

Arrependei-vos, pois, e convertei-vos para serem cancelados os vossos pecados, a fim de que da presença do Senhor venham tempos de refrigério.

Atos 3:19-20

CAPÍTULO 28

Destruindo fortalezas malignas

Você já notou em seu filho alguma coisa que o incomoda, mas não consegue identificar? Quando isso acontecer, não ignore essa percepção que Deus lhe deu. Peça a ele que revele o que sua intuição está detectando. Nós vivemos do lado do Criador do universo, que sabe perfeitamente o que está ocorrendo, e precisamos pedir-lhe sabedoria e revelação.

Você já detectou uma expressão no rosto do seu filho, que sabia ser de culpa, mas não descobriu o motivo? Em outras palavras, você desconfiou que ele praticou alguma desobediência que merecia disciplina, mas não encontrou provas. Quando acontecia isso com um de meus filhos, eu pedia: "Tu, ó Deus, bem conheces as nossas estultices, e as nossas culpas não te são ocultas (Sl 69:5). Revela-me o que estou notando neste filho".

E todas as vezes ele me revelou uma fortaleza maligna instalando-se na carne. Por exemplo, certa vez um de meus filhos estava contrabandeando alimentos proibidos para comer escondido no quarto. De outra vez usou uma mentira para atingir um determinado resultado. Nos dois casos os pecados foram revelados *depois* que eu orei.

Eu costumava dizer a meus filhos que não valia a pena desobedecer ao papai e à mamãe, porque Deus iria nos revelar a desobediência, e não demorou muito para que acreditassem em mim.

Um fato em particular ficou registrado em minha memória. Ocorreu com Amanda, por volta de seus sete anos. Todas as manhãs eu colocava três comprimidos de vitaminas, receitados pelo médico, num pires ao lado de seu prato na mesa do café da manhã. No início ela protestava quando tinha de tomá-los. Porém, com o passar do tempo Amanda deixou de reclamar. Na mesma época comecei a perceber alguma coisa nela que me perturbava, mas não consegui descobrir o motivo.

"Mostra-me, Senhor, se há alguma coisa em minha filha que eu preciso ver", pedi em oração.

Nada aconteceu nos dias seguintes, e não pensei muito no assunto porque andava ocupada providenciando nossa mudança para outro local. No dia em que a transportadora veio para embalar as peças grandes, começamos a tirar as almofadas presas aos assentos das cadeiras da cozinha. Bem embaixo do assento de Amanda eu encontrei 26 comprimidos de vitaminas. Inacreditável! Chamei meu marido para mostrar o que havia encontrado e nós dois rimos, embora soubéssemos que ela teria de ser repreendida quando chegasse da escola.

Continuamos a desamarrar as outras cinco almofadas e, para nosso espanto, só debaixo de uma delas não encontramos comprimidos escondidos. Havia em cada uma quase trinta deles. Somente a que estava mais longe da cadeira dela estava vazia. Nós rolamos de tanto rir.

Quando Amanda chegou, nós apagamos o riso do rosto e lhe demos mais de cem comprimidos com uma xícara de água e lhe dissemos:

Ou você nos dá uma explicação, ou terá de tomar todos estes comprimidos.

O incidente parece engraçado e sem importância, mas se a fraude não tivesse sido detectada e não tivéssemos tomado providências, essa prática poderia tê-la levado a problemas maiores até que o engano lançasse suas raízes na vida dela.

Sou grata a Deus por ele nos revelar essas coisas *antes* que se tornem sérias.

Não é só o pecado de um filho que você pode pressentir. Talvez seja mágoa ou medo de algo que ele pensou, viu ou vivenciou. Pode ser desesperança, confusão, inveja, egoísmo ou orgulho. É impossível adivinhar; portanto, peça a Deus que o revele a você. Mesmo que não tenha uma orientação clara de imediato, continue orando. Jesus nos ensinou a fazer da oração um hábito: "livra-nos do mal" (Mt 6: 13). Às vezes não precisamos ser muito específicos; basta orar para que Deus entre na vida de nossos filhos pelo poder do seu Espírito e o livre do mal. O importante é não ignorar esses avisos.

Embora você não perceba nada na vida do seu filho no momento, uma boa medida preventiva é fazer esta oração, não porque vá desconfiar dele para sempre, mas porque você deve desconfiar do inimigo que anda ao derredor, esperando para fincar uma fortaleza de trevas em sua vida. "Sede sóbrios e vigilantes. O diabo, vosso adversário, anda em derredor, como leão que ruge, procurando alguém para devorar" (1Pe 5:8). O versículo seguinte nos ensina como lidar com ele: "*Resisti-lhe*", diz ele. Vamos orar?

Oração

Senhor,

Obrigada por prometeres em tua Palavra nos libertar quando clamamos a ti. Eu venho a ti para interceder por (nome do filho (a)) e pedir que tu o (a) livres de toda malignidade que possa se tornar uma fortaleza em sua vida. Embora eu não saiba do que ele (a) precisa ser libertado (a), tu o sabes. Peço, em nome de Jesus, que tu lhe dês livramento sempre que necessário. Sei que "embora andando na carne, não militamos segundo a carne. Porque as armas da nossa

152 O PODER DOS PAIS QUE ORAM

milícia não são carnais, e, sim, poderosas em Deus, para destruir fortalezas, anulando sofismas e toda altivez que se levante contra o conhecimento de Deus" (2Co 10:3-5).

Dá-me sabedoria e revelação em relação a ele (a). Sei que existem áreas em que o inimigo opera, áreas que não posso ver, e por isso confio em ti, Senhor, para me revelares quais são quando eu precisar conhecê-las. Fala ao meu coração. Mostra-me como orar quando houver desassossego em minha alma em relação a meu filho (a). Mostra-me tudo o que eu não estiver enxergando e permite que tudo o que está escondido venha à luz. Se houver alguma atitude que eu deva tomar, confio em ti para me mostrares. Obrigado por me ajudares a cuidar deste filho (a).

Senhor, coloco hoje (nome do filho (a)) em tuas mãos.

Guia-o (a), protege-o (a) e convence-o (a) do perigo quando o pecado tentar lançar suas raízes. Fortalece-o (a) na batalha quando Satanás tentar ganhar terreno em seu coração. Torna-o (a) sensível aos avanços do inimigo; que ele (a) possa correr ao teu encontro para que sejas sua fortaleza e refúgio nos momentos de tribulação. Que o clamor do seu coração seja: "Absolve-me das (faltas) que me são ocultas" (Sl 19:12). De acordo com a tua Palavra, eu proclamo que tu o (a) livrarás de toda obra maligna, e o levarás a salvo para o teu reino celestial (2Tm 4:18).

Armas de guerra

Dar-te-ei as chaves do reino dos céus: o que ligares na terra terá sido ligado nos céus; e o que desligares na terra terá sido desligado nos céus.

Mateus 16:19

Pois nada há encoberto que não venha a ser revelado; nem oculto que não venha a ser conhecido.

Mateus 10:26

O mau, é evidente, não ficará sem castigo, mas a geração dos justos é livre.

Provérbios 11:21

O Senhor é também alto refúgio para o oprimido, refúgio nas horas de tribulação.

Salmos 9:9

Invoca-me, e te responderei; anunciar-te-ei cousas grandes e ocultas, que não sabes.

Jeremias 33:3

CAPÍTULO 29

Buscando sabedoria e discernimento

Será que meu filho sabe que não deve entrar em carros de desconhecidos? Será que minha filha vai perceber que é perigoso brincar perto de águas profundas? Meu filho será capaz de dizer "não" quando os colegas lhe oferecerem drogas? Minha filha vai se lembrar de olhar para os dois lados antes de atravessar a rua? Meu filho vai pedir em casamento a moça errada? Será que os dois são capazes de perceber um perigo iminente? Grande parte da segurança e bem-estar de nossos filhos depende de decisões que só eles podem tomar. As possíveis consequências dessas decisões assustam muitos pais.

Não se pode ter certeza de que eles vão agir da maneira certa a não ser que tenham os dons de sabedoria, revelação e discernimento e, também, um ouvido sintonizado à voz de Deus. O único meio de garantir esses dons é buscar a Deus pedindo-os. A Bíblia diz: "Se, porém, algum de vós necessita de sabedoria, peça-a a Deus, que a todos dá liberalmente, e nada lhes impropera; e ser-lhe-á concedida" (Tg 1:5).

Você já passou pela experiência de saber que a sabedoria de Deus controlava a situação e você tomou a decisão certa apesar de si mesmo? Talvez você tenha resolvido não virar à esquerda, embora o sinal estivesse aberto a seu favor, mas um carro ultrapassou o farol. Você fez a coisa certa, mas não por mérito seu. Algumas pessoas podem achar que foi coincidência. Eu creio que foi sabedoria e discernimento de Deus.

BUSCANDO SABEDORIA E DISCERNIMENTO **155**

Em muitas oportunidades, que nem chegamos a perceber, esses atributos salvam nossas vidas.

Nós desejamos que a mesma sabedoria e discernimento fluam na vida de nossos filhos, pois, à medida que forem crescendo, vão tomar mais e mais decisões sem nossa ajuda.

Depois que se formou no colegial, meu filho teve de tomar certas decisões que me fizeram ficar como simples assistente, com a respiração presa e orando: "Senhor, dá-lhe sabedoria; que ele possa ter orientação segura vinda de ti".

Deus respondeu as minhas orações, e vemos agora como foram certas as decisões de Christopher — e só Deus podia saber o motivo.

O antigo provérbio que diz "o filho sábio alegra a seu pai, mas o filho insensato é a tristeza de sua mãe" (Pv 10:1) é totalmente correto. Ninguém fica mais orgulhoso do que o pai quando o filho toma uma decisão sábia; mas, quando ele age sem sabedoria, ninguém lamenta mais profundamente do que a mãe. Em Provérbios vemos também que, se pedirmos discernimento e o buscarmos como a um tesouro escondido, encontraremos todo o conhecimento de Deus (Pv 2:3-5). Creio que esse é todo o conhecimento, sabedoria e discernimento que precisamos. Vamos, pois, clamar a Deus e nos poupar de muita tristeza.

Oração

Senhor,

Peço que tu concedas os dons de sabedoria, discernimento e revelação a (nome do filho (a)). Ajuda-o (a) a confiar em ti de todo o coração, sem depender do próprio entendimento. Ajuda-o (a) a reconhecer a tua presença em seus caminhos para que possa ouvir com clareza a tua orientação sobre que direção tomar (Pv 3:5). Ajuda-o (a) a discernir o bem do mal e ser sensível à voz do Espírito Santo, dizendo: "Este é o caminho, andai por ele" (Is 30:21). Sei

156 O PODER DOS PAIS QUE ORAM

que, para ser feliz, ele (a) precisa ganhar sabedoria e discernimento, e isto, de acordo com a tua Palavra, traz vida longa, riqueza, reconhecimento, proteção, satisfação e felicidade. Desejo tudo isso para ele (a), mas que venham como bênçãos tuas.

A tua Palavra diz: "O temor do Senhor é o princípio da sabedoria, e o conhecimento do Santo é prudência" (Pv 9:10).

Que o temor saudável e o conhecimento de ti sejam a base sobre a qual sejam firmados nele (a) a sabedoria e o discernimento. Que ele (a) busque a ti quando tiver de tomar decisões, para não fazer opções erradas. Ajuda-o (a) a enxergar que todos os tesouros de sabedoria e conhecimento estão escondidos em ti, e que tu os concedes livremente quando te pedimos. E quando ele (a) buscar sabedoria e discernimento em ti, Senhor, derrama-os liberalmente sobre ele (a) para que seus caminhos sejam de paz e de vida.

Armas de guerra

Grandemente se regozijará o pai do justo, e quem gerar a um sábio nele se alegrará. Alegrem-se teu pai e tua mãe, e regozije-se a que te deu à luz.

Provérbios 23:24-25

O princípio da sabedoria é: Adquire a sabedoria; sim, com tudo o que possuis adquire o entendimento. Estima-a, e ela te exaltará; se a abraçares, ela te honrará.

Provérbios 4:7-8

A lei do SENHOR é perfeita e restaura a alma; o testemunho do SENHOR é fiel, e dá sabedoria aos símplices.

Salmos 19:7

Porquanto a sabedoria entrará no teu coração, e o conhecimento será agradável a tua alma. O bom siso te guardará e a inteligência te conservará; para te livrar do caminho do mal, e do homem que diz cousas perversas.

Provérbios 2:10-12

Feliz o homem que acha sabedoria, e o homem que adquire conhecimento; porque melhor é o lucro que ela dá do que o da prata, e melhor a sua renda do que o ouro mais fino. Mais preciosa é do que pérolas, e tudo o que podes desejar não é comparável a ela. O alongar-se da vida está na sua mão direita, na sua esquerda riquezas e honra. Os seus caminhos são caminhos deliciosos, e todas as suas veredas paz. É árvore de vida para os que a alcançam, e felizes são todos os que a retêm.

Provérbios 3:13-18

CAPÍTULO 30

Crescendo na fé

Quantas vezes tenho ouvido pais de adolescentes e de jovens adultos dizerem:

> "Meu filho não tem motivação para nada".
> "Minha filha anda apática pela casa como se estivesse deprimida o tempo todo".
> "Meu filho vai repetir de ano na escola e nem está ligando".
> "Minha filha parece perdida, como se não tivesse objetivo na vida".

Em cada um desses exemplos os filhos estão lutando com a falta de visão para suas vidas porque não têm fé em Deus e em sua Palavra.

Crianças sem fé enfrentam muitas dificuldades na vida. Crianças sem fé não têm motivação positiva, objetivos ou esperança para ser diferentes do que são. Crianças sem fé ficam sentadas diante da televisão horas e horas, dia após dia, mês após mês. Crianças sem fé vagueiam pelas ruas procurando confusão e, em geral, a encontram. Crianças sem fé perambulam sem rumo com outras crianças sem fé, e esse é o maior problema relacionado às que estão enfrentando dificuldades nos dias atuais. Elas não sabem que Jesus morreu em lugar delas (Rm 5:8), que são filhas de Deus (Jo 1:12), que são amadas, que têm um chamado e um propósito especiais (1Co 7:22), um futuro brilhante (lCo 2:9) e, por tudo isso, são vencedoras (Rm 8:37). Elas não sabem que "tudo é possível ao que crê" (Mc 9:23), consequentemente, não acreditam que tenham alguma possibilidade no futuro. Enxergam apenas suas próprias limitações e os fracassos e lutas dos adultos que as rodeiam — e então desistem.

E não se trata apenas disso, porque o fato de perceber *nossas* limitações não significa, necessariamente, que não temos fé. A falta de fé advém de acharmos que *Deus* tem limitações. E se as crianças não têm fé no único ser em que é seguro confiar, que é imutável e todo-poderoso, como vão acreditar em si mesmas e no futuro que — elas sabem — é inseguro, instável e impotente?

Já tendo criado um filho desde o nascimento até a idade adulta, observei que uma das coisas mais importantes que nossos filhos podem levar consigo quando saírem de nossa esfera de influência é sua fé. Se pudermos ter certeza de que eles possuem uma forte fé em Deus e em sua Palavra, e o amor de Deus no coração, sem dúvida estão preparados para a eternidade. Nossas orações podem desempenhar um grande papel para ajudá-los a alcançar esse alvo.

Os apóstolos, que viviam ao lado de Jesus dia após dia, ouvindo-o ensinar e observando tudo o que ele fazia, precisaram pedir-lhe: "Aumenta a nossa fé" (Lc 17:5). Certamente *nós* também podemos pedir o mesmo para nossos filhos: "Senhor, aumenta-lhes a fé".

Os israelitas, que testemunharam mais milagres do que jamais chegaremos a ver, não tiveram permissão de entrar na Terra Prometida por causa de sua incredulidade (Hb 3:19). Nós não queremos que, por falta de fé, nossos filhos deixem de usufruir de todas as bênçãos que Deus lhes preparou. Podemos lhes ensinar a Palavra de Deus, que planta a semente da fé neles, e orar por eles para que essa fé cresça.

160 O PODER DOS PAIS QUE ORAM

Os filhos que têm fé possuem características bem diferentes dos que não a têm. Eles são mais confiantes, mais motivados, mais felizes, mais positivos quanto ao futuro, e menos egoístas. Uma das principais manifestações de uma pessoa forte na fé é sua capacidade de dar, não apenas em termos de dinheiro ou bens, mas também de tempo, amor, encorajamento e auxílio. Uma pessoa de fé está cheia do amor de Deus e procura oportunidades de compartilhar esse amor com os demais.

A Bíblia diz: "Agora, pois, permanecem a fé, a esperança e o amor, esses três: porém o maior desses é o amor" (1Co 13:13). No céu a fé não será necessária porque veremos tudo. Não precisaremos de esperança porque não teremos mais pelo que esperar. Apenas o amor irá durar para sempre, porque Deus é amor e *ele* é eterno. Portanto, não faz diferença o tamanho de nossos atos ou o quanto nós damos. Se não for feito por amor, não significa nada. "E ainda que eu distribua todos os meus bens entre os pobres, e ainda que entregue o meu próprio corpo para ser queimado, se não tiver amor, nada disso me aproveitará" (1Co 13:3). Tudo o que fizermos por amor irá durar para sempre, e a recompensa será eterna.

O amor é a maior das virtudes, maior até do que a fé. Mas é a fé que dá origem a tudo. Precisamos, portanto, orar para que a fé cresça em nossos filhos, e, em consequência, eles se tornem instrumentos de Deus para dar. Um dos motivos pelos quais as pessoas não repartem é porque acreditam que, se o fizerem, não lhes sobrará o suficiente; outro motivo é que elas não têm o amor de Deus pelos outros em seus corações. Ore para que o princípio de dar — por amor, como ao Senhor, com fé, *com sabedoria* e com a direção do Espírito Santo — seja arraigado nos corações e mentes de nossos filhos, porque, vivendo de acordo com ele, com certeza serão ricamente abençoados e satisfeitos.

Qualquer que seja a nossa preocupação, ao começarmos a orar com seriedade por nosso filho (a), às vezes nos deparamos

CRESCENDO NA FÉ 161

com a nossa própria necessidade de oração, de livramento e de restauração.

Como conseguiremos orar com eficácia para que nossos filhos sejam perdoadores se abrigamos falta de perdão em nossos corações? Como conseguiremos orar com poder para que eles se arrependam se temos pecados não confessados? Como poderemos pedir a Deus que encha nossos filhos de fé se estamos lutando com a dúvida? Como poderemos orar para que eles sejam doadores se temos dificuldade para doar? Eu também sou culpada dessas coisas, mas não permito que elas me impeçam de orar. Ponho-me diante de Deus com um coração humilde, confesso o que enxergo em mim mesma e peço que ele me ajude.

Se, por exemplo, você sente que tem pouca fé, confesse a Deus e faça a oração que se encontra no final deste capítulo com *seu* nome, antes de orar por seu filho. A Bíblia diz que "tudo o que não provém de fé é pecado" (Rm 14:23). Se duvidamos, não estamos obedecendo a Deus. Se temos fé, estamos sendo obedientes. A dúvida surge por se acreditar que Deus não é todo-poderoso. Não permita que a sua falta de fé erga uma muralha entre você e Deus, mas que ela se torne um convite para você correr para ele em oração, pedindo-lhe que aumente a *sua* fé e, também, a do *seu filho*. Embora este seja o último dos tópicos encontrados neste livro pelos quais devemos orar, minha oração é que ele seja para você apenas o início daquilo que, pouco a pouco, o Senhor irá mostrando em relação às novas maneiras de interceder por seu filho. Tenha em mente que o poder que você possui como pai/mãe de oração é o poder de Deus. Suas orações liberam esse poder para a realização da vontade de Deus. Ele está sempre à disposição, o estoque é ilimitado e as únicas restrições se devem a sua falta de fé quanto à resposta de Deus. Ainda assim, a graça de Deus é tamanha que, quando achamos que temos pouca fé, a fé que

162 O PODER DOS PAIS QUE ORAM

possuímos é como o grão de mostarda — suficiente para crescer e se tornar em algo grande.

Vamos nos unir a outros pais de oração e proclamar:

> Que as sementes da nossa fé, plantadas em oração, tragam vida e façam nossos filhos se tornarem adultos segundo o coração de Deus.

Oração

Senhor,

Tu disseste na tua Palavra que "cada um pense com moderação segundo a medida da fé que Deus repartiu a cada um" (Rm 12:3). Peço que tu multipliques a fé que plantaste em (nome do filho (a). Que a verdade da tua Palavra seja firmemente confirmada em seu coração para que a fé cresça dia a dia e governe sua vida. Ajuda-o (a) a confiar em ti em todos os momentos e a olhar para ti buscando a tua verdade, a tua orientação e a tua semelhança. Sei que somos nós que optamos por confiar em ti. Capacita-o (a) a fazer essa opção. Peço que ele (a) olhe para ti em tudo, confiante que há sempre uma esperança. Que a sua fé seja "a certeza de cousas que se esperam, a convicção de fatos que se não veem" (Hb 11:1). Suplico que ele (a) tenha fé suficiente para elevá-lo (a) acima das circunstâncias e limitações. Coloca dentro dele (a) a confiança que tudo coopera para o bem (Rm 8:28).

Peço que ele (a) seja tão forte na fé que seu relacionamento contigo suplante tudo o mais em sua vida — até minha influência como mãe (pai). Em outras palavras, que ele (a) tenha um relacionamento contigo, Senhor, muito particular, não uma extensão do meu relacionamento ou de outra pessoa. Quero ter o conforto de saber que quando eu não estiver mais aqui na terra, a sua fé será forte o bastante para mantê-lo (a) firme, inabalável e sempre abundante na obra do Senhor (1Co 15:58).

E, ao andar em fé, que ele (a) tenha o teu coração de amor, e que esse amor transborde para os outros — um coração disposto a dar a si mesmo e os seus bens de acordo com a tua direção. Que ele (a) entenda que doar-se por amor é, na verdade, devolver a ti em fé o que lhe deste, e que jamais sairá perdendo por agir assim. Eu peço para que ele (a) use sempre o "escudo da fé" para "apagar todos os dardos inflamados do maligno" (Ef 6:16) e, assim, ser capaz de permanecer firme na fé e dizer "sou grato para com aquele que me fortaleceu, a Cristo Jesus, nosso Senhor, que me considerou fiel" (1Tm 1:12). É em nome de Jesus que peço todas essas coisas.

Armas de guerra

De fato, sem fé é impossível agradar a Deus, porquanto é necessário que aquele que se aproxima de Deus creia que ele existe e que se torna galardoador dos que o buscam.

Hebreus 11:6

Por isso vos digo que tudo quanto em oração pedirdes, crede que recebestes, e será assim convosco.

Marcos 11:24

Se tiverdes fé como um grão de mostarda, direis a este monte: Passa daqui para acolá, e ele passará. Nada vos será impossível.

Mateus 17:20

Peça-a, porém, com fé, em nada duvidando; pois o que duvida é semelhame à onda do mar, impelida e agitada pelo vento. Não suponha esse homem que alcançará do Senhor alguma cousa; homem de ânimo dobre, inconstante em todos os seus caminhos.

Tiago 1:6-8

E não nos cansemos de fazer o bem, porque a seu tempo ceifaremos, se não desfalecermos. Por isso, enquanto tivermos oportunidade, façamos o bem a todos, mas principalmeme aos da família da fé.

Gálatas 6:9-10

APÊNDICE

Orando com outros pais

Depois de experimentar várias formas de organização para reunir um grupo de oração intercessória pelos filhos, encontrei um formato que funciona bem. Em primeiro lugar, cada reunião de oração deve limitar-se a orar por, no máximo, doze filhos, porque são gastos de vinte a trinta minutos para se compartilhar preocupações e pedidos em relação a cada filho e orar adequadamenre por eles. E sendo apenas doze filhos, serão necessárias seis horas de oração. Isto significa um grande sacrifício de tempo e compromisso para os pais, além de ultrapassar o limite da paciência dos filhos. Por esse motivo, nós nos reunimos uma ou duas vezes por ano, em geral num sábado ou num feriado.

Nós começamos a orar às 14 horas, fazemos um intervalo para lanche das 17 às 17h30 e oramos das 17h30 às 20h30. Às vezes, todos trazem alimentos para compartilhar, outras vezes compramos alguma coisa e pedimos que nos seja entregue. Contratamos adolescentes para brincar e cuidar dos filhos pequenos numa sala separada enquanto os adultos oram em particular.

Descobrimos que não dá muito certo orar por todos os filhos da mesma família em sequência, porque é comum a família achar que, após a oração por ela, está livre para se retirar. Também não é o ideal no caso de pessoas que vêm com pedidos de oração e se retiram ou, pior ainda, deixam o filho para que orem por ele e voltam mais tarde para buscá-lo. Só foi permitido isso uma vez por se tratar de um pai solteiro que trabalhava

166 O PODER DOS PAIS QUE ORAM

e não conseguiu outra solução. Geralmente esse período de oração deve ser um compromisso de *todos* os pais para com *todos* os filhos durante o tempo que for necessário. As pessoas devem ser avisadas com antecedência a fim de poderem se preparar para assumir o compromisso.

Nós começamos escrevendo os nomes das famílias para estabelecer a ordem a ser seguida. Depois oramos nessa ordem, um de cada vez, pelo primogênito de cada família. Em seguida, oramos pelo segundo filho, depois pelo terceiro, e assim por diante.

Iniciamos o período de oração sem a presença do filho para que os pais apresentem seus pedidos e preocupações, e possamos orar por assuntos delicados sem que o filho ouça. Depois convidamos o filho para entrar na sala e compartilhar seus próprios pedidos. Ao orarmos por esses pedidos, também intercedemos por sua saúde, segurança, proteção, orientação, desenvolvimento de dons e talentos e, às vezes, é feita uma leve menção da preocupação apresentada anteriormente pelos pais.

Por exemplo, um pai expressou sua preocupação sobre a má influência de determinados amigos na vida do filho. Quando oramos *sem* a presença do filho, intercedemos com detalhes sobre os amigos especificados. Mas quando oramos *com* o filho presente, pedimos que ele tivesse discernimento para procurar amigos cristãos e resistir aos amigos ímpios. A discrição é a chave para que o filho não se sinta traído ou julgado e, sim, amado.

As famílias com as quais temos orado no decorrer dos anos ainda comentam sobre o impacto poderoso de nossos momentos juntos, e das muitas respostas de oração que receberam. Os filhos também apreciaram essas reuniões, pois elas fizeram com que se sentissem amados e especiais. Houve casos de pais que foram pedir oração por um filho adulto morando longe de casa, e mais tarde testemunharam do efeito positivo das orações.

Quem sabe quantas vidas têm sido — ou podem ser — salvas, de um modo ou de outro, porque pais de oração se reúnem para orar? Não hesite em organizar um grupo de pais de oração em sua vizinhança. A necessidade é grande. Se você formar o grupo, as pessoas virão.

Compartilhe suas impressões de leitura escrevendo para:
opiniao-do-leitor@mundocristao.com.br
Acesse nosso site: www.mundocristao.com.br

Diagramação: Set-up Time
Fonte: Goudy Old Style
Gráfica: Assahi
Papel: Pólen Natural 70 g/m² (miolo)
Cartão 250 g/m² (capa)